千年後に迫り来る大洪水

日本書紀に遺された巨大洪水と神功皇后

津田慎一
TSUDA Shinichi

文芸社

プロローグ

本書は予言というより予測である。

一〇〇〇年後に迫る巨大惑星の大接近……
一万年以上天災が世界を繰り返し破壊し、創造が起きた
歴史上の高度な文明は幾度となく消えた
プラトン全集、旧約聖書、ギルガメッシュ叙事詩、日本書紀の大洪水記録
世界・日本各地に遺る大洪水伝承と痕跡
現代文明は本当に進化したものか

遺された一〇〇〇年に我々は何をなすべきか。

＊

久しぶりの東京であった。パンデミックもどうやら終焉を迎え、久しぶりの春を満喫する若者や家族連れが行き交う普段通りの光景に戻ったように見える。

何故、都会には多くの人達が集まってくるのだろうか？　どんな魅力が人々を惹きつけるのだろうか？

確かに人間は無防備な平地（海面より低いところもある）に群がるように住居を構え、年を追うごとにその数が増えていくのは、世界中の共通の現象でもある。

不思議に、一番低地の都会の中心にタワーマンションと呼ばれる高層建築を造りその最上階を求める。

何やら矛盾するようにも思える。やはり富が集中して財が投入される都会……低地でありながらも高い場所を求めている。低地である都会に人口が集中すれば対応する低地（洪水）対策にもさらに巨額の財を投入せざるを得ない。

「洪水により社会の中でも、より文明化した階層を除去した」（プラトン）

これまでの人類の歴史では、自然災害が繰り返し起きている。自然現象としてもそれらの発生メカニズムは、やはり周期的な性質を本質的に有しているのであろう。火山噴火、巨大地震のほとんどがこれに当てはまる。

火山噴火、地震・津波、台風、また隕石衝突や落下に伴う甚大な災害もある。中でも、水害による災害は死者数も多く、頻度も高い。他は、一時的かつ局所的な被害になることが多い。もちろん、ユカタン半島への隕石の衝突によって恐竜が絶滅したと言われるケースもある。

また日本の縄文時代（七三〇〇年前頃）、巨大カルデラ噴火により西日本、とりわけ南九州の縄文文化はほぼ絶滅した。

これまで伝説として扱われてきた、A「アトランティスの消滅」、B「ノアの洪水」などは、まさに水害であり、巨大で広範な被害を齎したものと伝えられている。この二つを見ても何千年かの間隔で生じた。

最近では、コロンビア大学の地質学者達により、今から七、八〇〇〇年前（紀元前五、六〇〇〇年前）、ボスポラス海峡を通じて地中海から黒海に海水が流れ込み、大洪水が起きたという説が唱えられている（毎日新聞　二〇二二年四月一九日朝刊）。この「黒海洪水説」を「ノアの洪水」と同一視する向きもあるが、本書で述べるように時期的にも別物と考えるべきであろう。

筆者は日本の古代史を調べるうちに弥生時代の紀元後一世紀頃を起点に日本付近に存在した一〇〇メートル、いやそれ以上にも及ぶ海面上昇が洪水を伴って国土を襲ったことを、古代文献『日本書紀』の石上神宮についての記録や物理的証拠である日本各地の遺跡地層における洪水痕跡や古代遺跡（弥生時代高地集落と称されている）の存在からこの海面上昇が少なくとも二〇〇年程度は続いた事実を確認した。

この海面上昇の証拠は日本に限ったことではない。『日本書紀』には、日本列島の隣の朝鮮半島の古代に国土が水没した記事もあるのである。

この頃の洪水の時間経過を史実と照らし合わせ、洪水経過の推測も可能であり本書で明らかにする。

この弥生時代の洪水については、便宜上最初の指摘者の名前から、C「ツダの洪水」とさせていただいた。このA～Cの三つの「洪水」に絡む事象を時間軸で眺めると、一部の空白もあるが、おおよそ、三〇〇〇年周期で生じていることが分かる。Cは二〇〇〇年前、Bは五〇〇〇年前、Aは一一〇〇〇年前くらいだからである。

一方、この調査の中で出会ったのが、高橋実氏*が約五〇年前に発表した書『灼熱の氷惑星』である。「ノアの洪水」の科学的根拠を示すために「惑星の地球との異常接近」とこれによって地球に齎された水・砂・氷が「ノアの洪水」に関わる事象をうまく説明したというものである。この時の大洪水は天から来たとの伝承を説明しているが、アトランティス伝承にも「天からの洪水」とある。

*高橋実：昭和十五年、東京大学工学部卒。戦後、文部省電波物理研究所に入所し宇宙の電離層を研究。「地球の水は多すぎる」の疑問から「天体M」を裏付ける仮説を思考実験で確証し「ノアの洪水」を解明。

この高橋氏の提唱した惑星の地球接近の周期が三〇〇〇年である。

筆者が見出した三〇〇〇年ごとの大洪水。

これは偶然なのか？

これら伝承の洪水周期と惑星の接近周期が相互に独立した分析でありながら、一致したのである……。

確かに、この周期三〇〇〇年は人間にとって実に長い時間である。

天災は忘れた頃にやって来る（寺田寅彦）

歴史上の謎とされてきたものを見ると、どうやら古代人は来たる未来の大洪水に備えていた形跡がある。

古代史上、謎とされてきた巨大建造物の、世界中のピラミッド（クフ王のピラミッドは高さ一五〇メートル程度ある）、ジッグラッド（通称バベルの塔）、マチュピチュ集落などが、何故、建造されたかも見えてくる。

もちろん、大洪水への備えとして高い建造物を造ったり、高い山中に集落を造ったのは確かであろう。

一方、大きな目的として天体観測、とりわけ太陽を観測することが古代の人々にとって極めて重要であった。時の経過を暦の上で知ることが、自然に生きる上で不可欠であった。農業生産のみならず、恐らく大洪水に関する天文学情報も目的としたかも知れない。古代の人達の文明は現代に想像する以上に高度であった事実が次々に明らかにされている。

むしろ現代文明よりも劣っていたとする根拠こそ薄弱であり、単なる偏見に過ぎない。過去の「大洪水の発生」を受け入れることにより、多くの歴史上の謎に対する説明と解答を与え得る。

それに留まらず、これまで謎とされてきた日本海誕生についての地球科学上の課題にも迫る可能性がある。

読者には、本書で収集した物理的な証拠を基に、人類が歩んできた二〇万年に上る歴史を俯瞰的に眺めていただきたい。

同時に、洪水伝説で語られてきた「神の啓示」を今一度思い起こし、現代の我々が感じ取るものはないだろうか？

二〇二三年六月

津田 慎一

◆余談◆

文字通り驚くべき発見がなされました。紀元前一〇〇〇年頃の「高速道路網」です。

三大文明の一つであるマヤの領土から何百マイルにも及ぶ道路網は、四一七もの古代集落や複合施設を結び、まさに小さな町として機能しています。１１０マイル（約一七八キロメートル）の「スーパーハイウェイ」が発見されました。

The Washington Post
Democracy Dies in Darkness

Long-hidden ruins of vast network of Maya cities could recast history

In Guatemala, scientists map well-organized network of 417 cities dating to circa 1000 B.C.

By Charlotte Lytton
May 20, 2023 at 7:00 a.m. EDT

【ワシントンポスト紙】May20,2023 at 7：00a.m. EDT

〈大洪水の歴史〉

★紀元前九〇〇〇年頃　⇔　アトランティス消滅（プラトン対話篇）

★紀元前六〇〇〇年頃　↔　黒海洪水（一九九〇年代後半に提唱）

★紀元前三〇〇〇年頃　↔　ノアの洪水（旧約聖書、ギルガメシュ叙事詩・粘土板）

★紀元0年頃　↔　**ツダの洪水（日本書紀）**

★紀元二〇〇〇年（現代）　⇔　大洪水！

千年後に迫り来る大洪水◇目次

プロローグ　3

序

1　高橋氏の惑星モデルとノアの洪水　15
2　高橋説によって説明できるとされる地質時代の謎　26
3　ノアの洪水伝承と実在性　38
4　アトランティス伝説とプラトン　44
5　「ツダの洪水」――正史『日本書紀』に記された大洪水　64
　71

6 日本・東アジアの海面上昇と証拠
――洪水地層、弥生高地性集落、朝鮮半島南部―― 81
7 古代人が挑んだ天文観測―― 109
8 「大洪水」で読み解ける世界の歴史――東アジア―― 114
9 過去からの教訓と将来の悲劇―― 136
エピローグ 140
おわりに 146
謝辞 151
付録 153
参考文献 158

序

時として自ら信じ難いと思う時、人はこれを「荒唐無稽」と評することがある。これは、真実であるかどうかとは無関係に自らのパラダイムによる判断でもある。中世に「地動説」が唱えられた時に人々はどうであったであろう？

パラダイムの転換が求められる時、毎回人達が思うのは、「今の我々が最も真実に近い位置にいる。最も進んだ知識を持っているはず」ということ。

しかしこの前提は意外と脆いのである。地球が誕生し、現人類が誕生した。約二〇万年前のことである。

人類は幾多の困難を乗り越えて現在に至ったに違いない。

では、この数十万年前から人類の文明は進化の道を辿ってきたのだろうか？

視界をもっともっと狭めてみよう。現代の我々は進歩した文明や技術を持ち、空を飛び、宇宙に向かい、様々な機械や機器を発明・開発して日常これらを享受している。技術のみならず芸術などの発達も多岐にわたり振り返ってもこの文明や技術はせいぜい数百年の歴史しか持ち得ていない。言い換えれば、数百年前から始まった文明や文化に過ぎない。

ここで何か矛盾に似た感覚を覚える。人類が約二〇〇万年の歴史を有するのに、一方で我々が高度だと認識するものは、高々数百年で得た文明・文化の歴史なのである。何故、現代に至る二〇〇万年の歴史の何処かで、かつて起きなかったのだろうか？　起きたとしても何の不思議もない。

それとも現代の我々だけが何かの偶然で歴史を作る端緒を得たのであろうか。しかし近代を見ても地球上の広い範囲で異なる国や地域でほぼ同時期に同じような文明や技術革新が生じており、これらも「偶然」とするのは明らかに無理がある。要は、人類が時間軸上のある時期に達した時点で同時多発的な広がりを持つ変化が起きているのは「必然」に違いない。

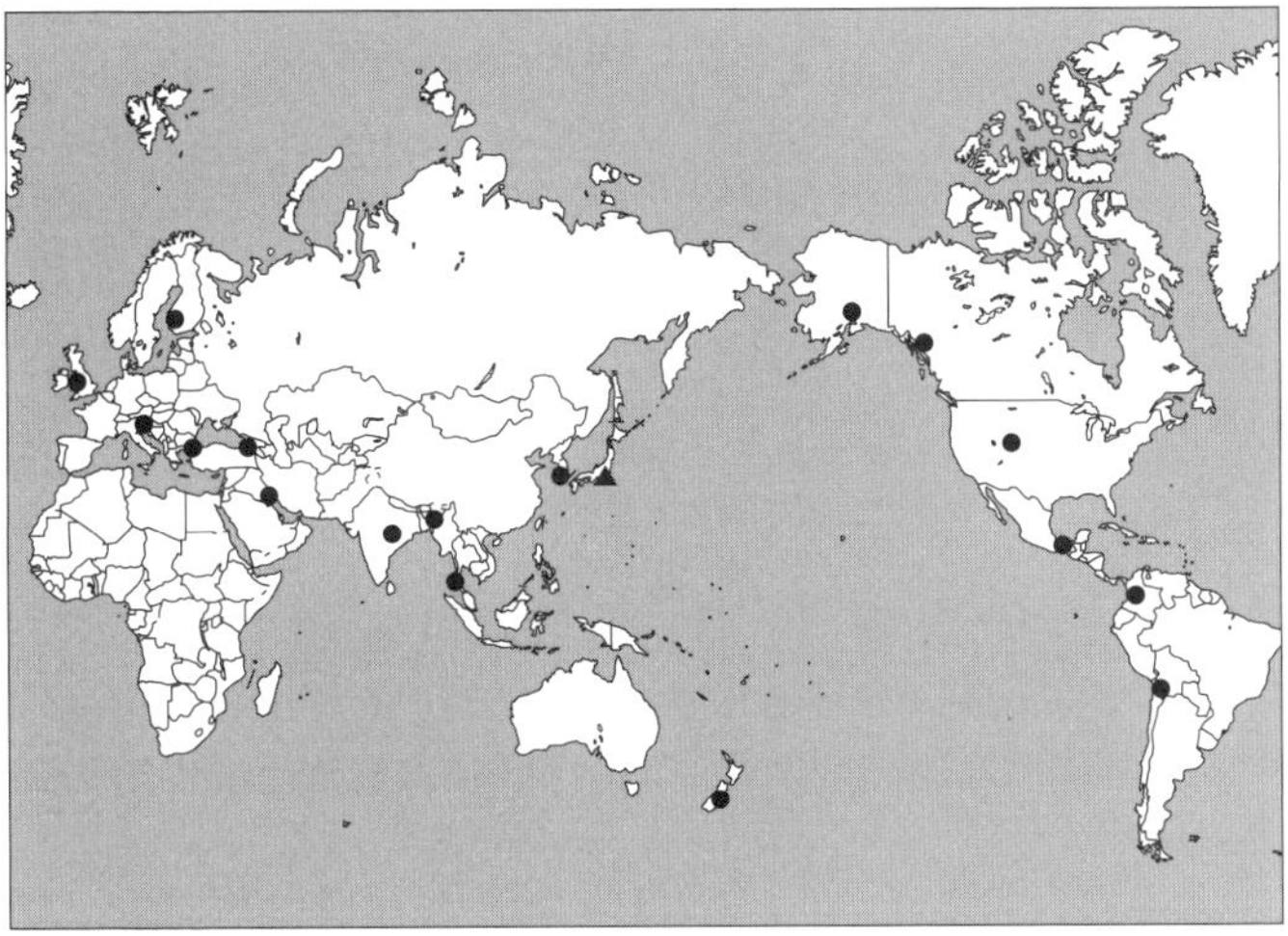

世界の洪水　伝説と痕跡（▲洪水の痕跡　●洪水の伝説）

偶然だとしても現代の我々が遭遇した多くの遺物や遺跡についてはすべて納得のいく説明がなされているとは言えない。「古代にこのような進んだ文明や文化が存在したはずはない」という視点で回答を見出そうとするあまり、答えなき【ミステリ】や【謎】と一括りにして先延ばしにすることしかできないのである。

歴史的な観点からすると、このような縛りから解放されない限り新たな展望が開かれないことも多い。

本書では、多くの歴史家からは些か奇異に見られ続けてきた「大洪水伝説」をもう一度科学的な視点から再検討して、本当に古代から語り続けられてきた伝承的「大洪水伝説」があり得ないことなのか、否か、検証してみる。

とにかく世界には古代の都市・文明が忽然と姿を消したという伝承も数多い。これらも「大津波・大洪水」に纏わる事象なのかどうかはさて置き、現代の我々が明確に否定する根拠を持ち得ないものも多いのである。これらには、真っ当であると自負する「歴史研究者達」は、常に傍観者であり、戦況が著しく変化しない限り参戦することはまずない。まさに「大人の対応」なのであろう。

焦点を「大洪水伝説」に纏わるものに絞ってみる。現代まで有名なものは、①アトランティス大陸消滅——一万一〇〇〇年前（紀元前九〇〇〇年）頃②ノアの洪水・箱舟——五〇〇〇年前（紀元前三〇〇〇年）頃である。もちろん、確たる時期を示すことは難しい。

実は本書を書く動機になった二つの事柄がある。

一つは、日本の紀元後の古代史を調べていく中で、

・紀元一～三世紀頃に、日本の国土の海面が現在より少なくとも一〇〇メートル程
　度高かった
という事実が文献と地層や弥生遺跡から判明したことである。
二点目は、この海面上昇が何らかの天変地異、隕石衝突のようなものによって短期に引き起こされた可能性はないかと考えを巡らす中で、ある本に出合ったことである。
・『灼熱の氷惑星』（高橋実著　一九七五年）――軌道周期三〇〇〇年の惑星との遭
　遇
同書は、従来の隕石や惑星接近で前提となる全固体の星ではなく、核の外側に持つ「水・氷・砂」を地球に齎せているというアイデアである。この他にも同書にはこれまで説明ができなかった点についての解説がなされ見事に解決することが著わされている。
但し、あくまで高橋氏は「ノアの洪水」一点に絞っての分析である。
人類史上、「洪水伝説」や巨大洪水に関わる可能性のある出来事を時系列で並べてみると、

★紀元前九〇〇〇年前頃――アトランティス消滅
★（紀元前六〇〇〇年）頃――黒海洪水
★紀元前三〇〇〇年前頃――ノアの洪水
★紀元〇年前頃――「石上神宮」の海面上昇（これも『洪水』である）

これらを眺めると三〇〇〇年ごとに洪水に纏わる出来事が生起している。これらの出来事の時間間隔が高橋氏の提唱する惑星周期と一致しているのは偶然だろうか。

これまで特に「ノアの洪水」については地質学的にも実証されつつあるが、現象としての「洪水の痕跡」について議論されてはいるものの、「洪水の要因」についてはそれほど説得力のあるものは未だ出現していない。

しかし「洪水」の規模やその津波を伴う破壊的挙動については徐々に明らかにされている。同時にこの「ノアの洪水」に類似すると推定される世界各地の「洪水伝説」も多く遺されており、全地球的規模の天変地異であったことはほぼ疑う余地はない状況である。これらの多くは、

・洪水は天からやって来た
と伝えるものが多く、この点では、高橋氏の主張に説得力がある。

ここで日本にもこの「ノアの洪水」（五〇〇〇年前頃）があったと想定される頃に「巨大せき止め湖の決壊と松本盆地を襲った巨大洪水流」があったことが、信州大学山岳生態系研究部門より報告されている。その中で、「……大洪水イベントがおおよそ五〇〇〇年前の出来事だったことを示しています」と述べている。もちろん、現時点で「ノアの洪水」自体が認知されているとは言い難い状況であるので断定することは困難であるが、【巨大】洪水であるという点は注目される。

もう一点、紀元前三〇〇〇年頃に「ノアの洪水」があり、地球的規模の洪水によって地球表面に存在した文明が消え去って、いわば「更地《さらち》」状態にリセットされたとする。次ページの表のように、「世界四大文明」と呼ばれる。
・エジプト文明、メソポタミア文明の起源が紀元前三〇〇〇年頃になっている
・インダス文明、黄河文明の起源が紀元前二五〇〇年前頃になっている（最近では、

黄河文明はさらに古い時代からということも言われている）

これらの文明が先に述べた、いわば地球が「更地」になった頃に起源をもつことになり、紀元前三〇〇〇年頃が丁度「ノアの洪水」と符合するのも偶然であろうか。

ここでこれらの三〇〇〇年の周期に、高橋氏の主張する惑星との異常接近によって、「水・氷・砂」が地球表面に降り注いだ（スプラッシュと表現されている）として、これら降り注いだ中心点が

西暦	西洋史	東洋史	詳細
B.C. 3000頃	エジプト文明		ナイル川周辺にエジプト文明が興る。 象形文字、太陽暦。
B.C. 3000頃	メソポタミア文明		チグリス・ユーフラテス川周辺にメソポタミア文明が興る。 シュメール人、楔形文字、太陰暦、60進法
B.C. 2500頃		インダス文明	インダス川周辺にインダス文明が興る。 遺跡＝モヘンジョダロ、ハラッパ ドラヴィダ人→アーリア人侵入
B.C. 2500頃		黄河文明	黄河周辺に黄河文明が興る。 亀甲文字　青銅器

どの辺りであったのかが問題になる。

中心点付近に降り注いだ大量の「水・氷・砂」が津波のように各地域や海洋を襲い、さらに大洪水が起きて海面が急激に上昇する。それまでの文明が水にのまれて消えてしまうことになる。もちろん各地の地勢・地形によってその影響は異なることは言うまでもない。


皆さんは以上を信じられるだろうか？

常識は、必ずしも寛容なものではなく、意外なものを排除する論理が優先するように思える。

しかしこの高橋氏の「ノアの洪水」や歴史上不明とされてきた多くの謎がうまく説明できるというのは、ある意味、驚異的でもある。

また天文学の観点から高橋氏が導いた惑星の軌道周期（太陽系惑星として周回）が三〇〇〇年というのも不気味なほどの一致である。

残念ながら、日本語で書かれた書であり、世界的な評価を得るには至らなかったようである。

現在でも、世界の大洪水伝説を追う人達も少なからずいる。

本書は、彼らに大洪水伝説の解明の端緒となればと願っている。

また思考を転換して、

• 洪水により生じる、ある期間の一〇〇メートルオーダーの海面上昇を受け入れることにより、多くの古代史上の謎とされる事実を合理的に説明できるという点にもう少し注目されることを望みたい。

実際に地球規模の洪水・海面上昇により、国・地域の存続、社会秩序や文化の大きな変動を生じていることも事実である。本書では詳しく述べないが、日本古代史において従来の弥生時代を変えた、異文化を持つ人達が大挙して日本列島に殺到し、日本という国を誕生させることにも繋がったのである。

一大ドラマを生んだ大洪水。後世に遺した神話世界の誕生の瞬間でもあった。

No.	伝承内容	出典
1	二月二十七日のことであった。 この日、大きな淵の源がことごとく破れ 天の窓が開いて 雨は四十日と四十夜、地に降り注いだ	「旧約聖書」創世記
2	朝、雨が降りに降った。わたしはこの眼で、夜も大粒の雨が降りしきるのをみた。わたしは頭をあげて、天をながめたが、その恐ろしいことといったらたとえようがない程だった。	数千年前シュメール出土の粘土板に記載
3	天が地に接近し、一日のうちにすべてのものが滅び去った。山もまた水のなかにかくれた。	メキシコ古代文書の一つ 「チマル・ポポーカ絵文書」
4	あるとき天地もとどろくようなものすごい音がした。すべてのものが闇につつまれ、このあと大雨が降り始めた。雨はすべてのものを洗い流し、全世界をみずびたしにした。	あるアマゾン流域のインディオの伝説
5	大洪水が起こった。……あたり一面くらくなり、黒い色の雨が降り始めた。雨は昼も夜もどしゃぶりに降った。……このようにして人は滅びてしまった	南米インディオの伝承 古文書「ポポル・ブフ」
6	天の柱が倒れ、大地が根底からゆさぶられた。天は北側に倒れ始めた。太陽、月、星はそれぞれの軌道を変えた。宇宙の組織全体が混乱におちいった。	マルティーユ「中国新図」に引用された中国の古写本に記載
7	そこでわれは天の諸門を開き水をそそぎ降らせた。	「コーラン」5章・11
8	……ある者には砂石の暴風を送り、またある者には巨大な轟音でこれを襲い、またある者は大地にこれを沈め、またある者をおぼれさせた。	「コーラン」29章40
9	天が地に接近し、一日のうちにすべてのものが滅び去った。山もまた水の中にかくれた。	古代メキシコの「チマル・ポポーカ絵文書」
10	わたしたちの文明は他国民のそれのように、これまでしばしば天から降ってきた水によって滅び去っているのです。……人類はこれまでに数多くの異変にあっているのですが、将来においてもまたそうでありましょう。	エジプトの神官たちによるギリシャの哲学者ソロンへの話（紀元前6世紀）
11	（杞憂）中国古代、天が崩れ落ちてきはしないかと杞の人が心配したという。	中国 「列子」天瑞の故事

洪水に関する伝承（『灼熱の氷惑星』参考）

1　高橋氏の惑星モデルとノアの洪水

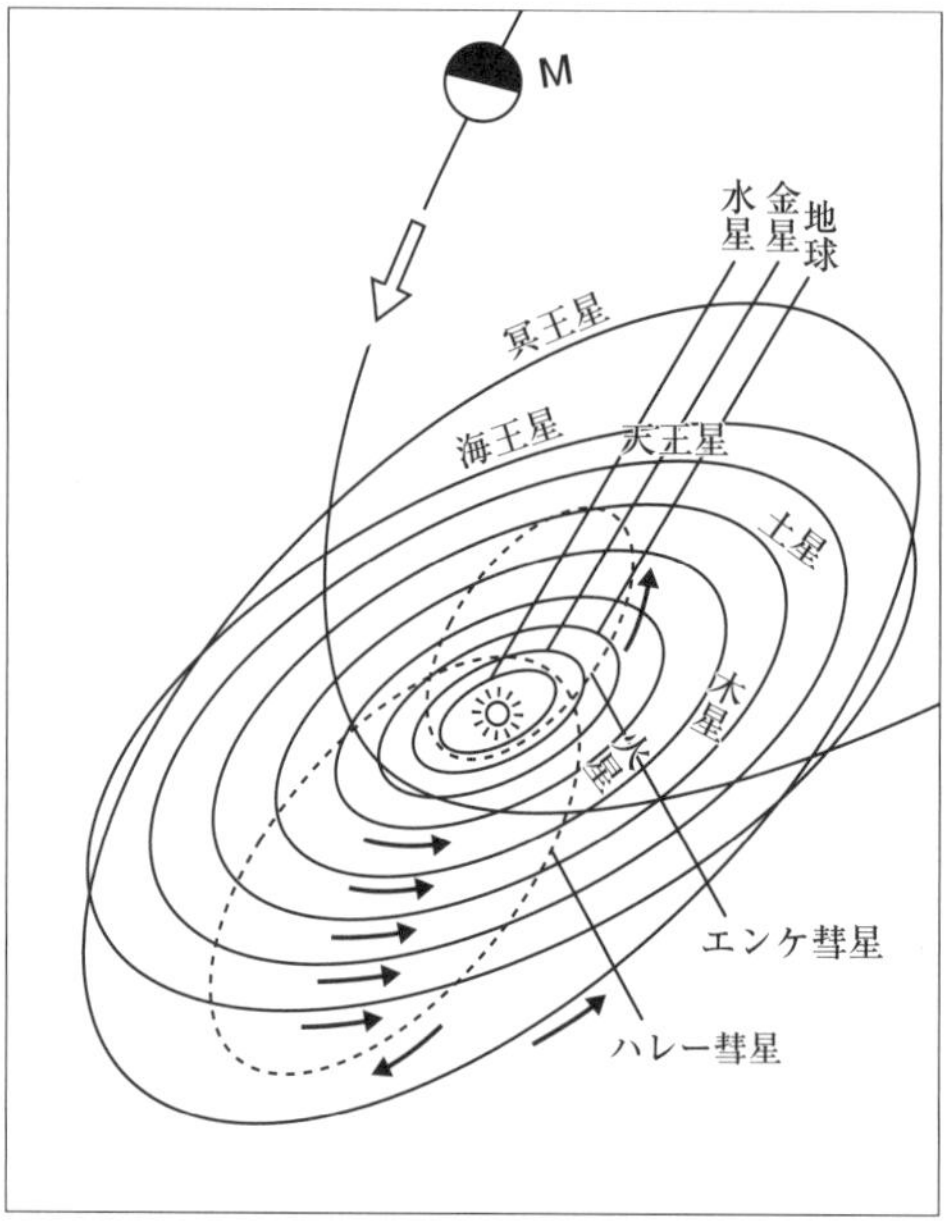

太陽系惑星軌道図（『灼熱の氷惑星』参考）

高橋氏によって約五〇年前に「ノアの洪水」を説明する目的で提唱されたモデルの概要を示しておく。

既に述べたように、この惑星は三〇〇〇年ごとに地球に接近する軌道を有する。

上の図は地球に接近する惑星（M）の軌道の様子を表し

たものである（高橋氏の導出過程は一五三ページ参照）。

またこの惑星（M）については、地球とほぼ同じ大きさを持つ天体である。しかし、惑星内部の構造については、核（重い元素）とその表面は岩石からなり、その外殻は厚い水圏で構成されている。水圏の最外殻が氷となっている（左図）。

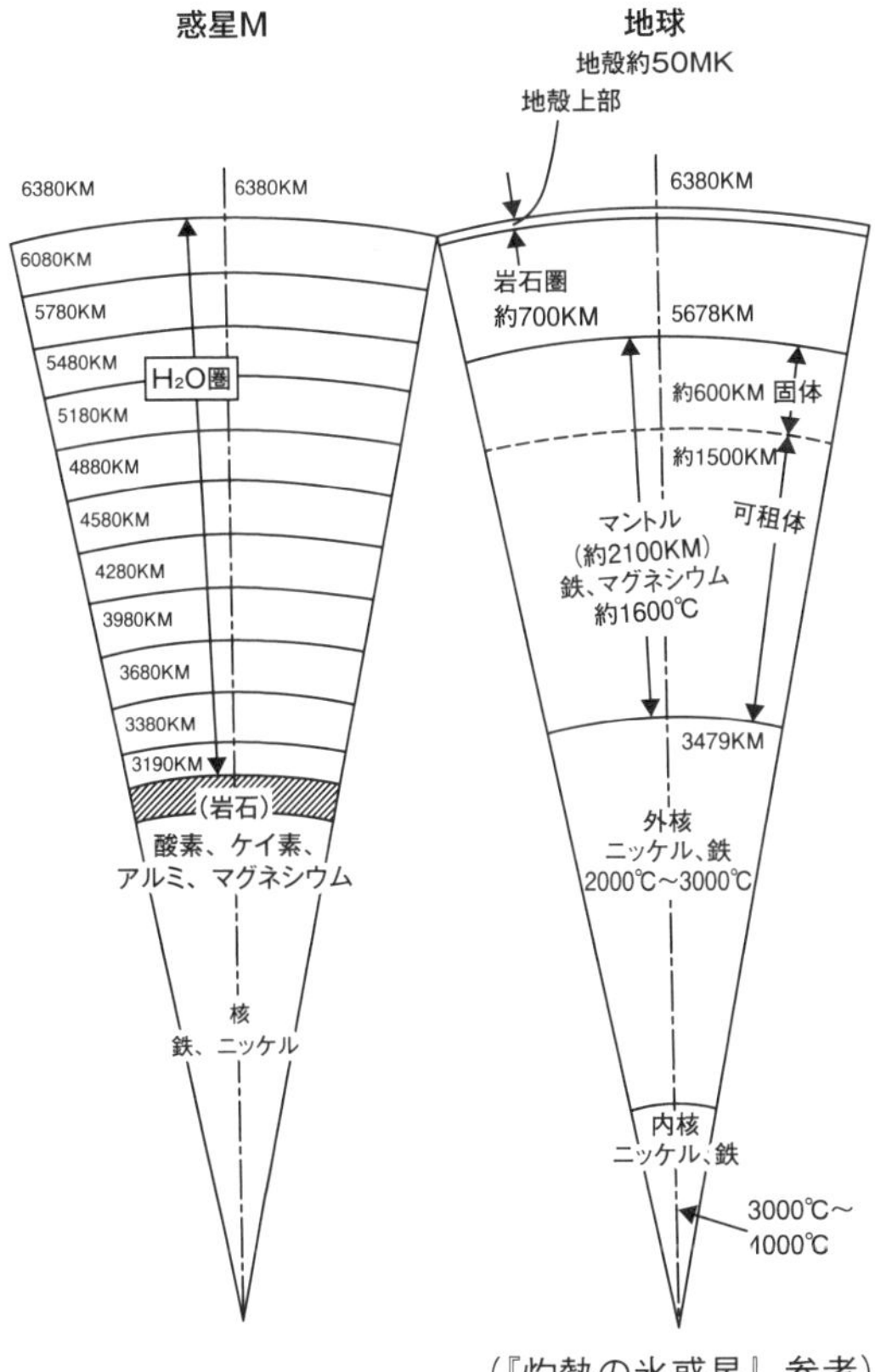

（『灼熱の氷惑星』参考）

この楕円軌道を持つ惑星の成り立ちについても高橋氏は述べているが、超新星反応で吹き飛んだ重い元素のガスの塊が遠日点六〇〇億キロメートルの彼方で冷えて核となり水素を集積し水素氷（固体水素）の殻ができる。太陽の近くにある酸素が水素氷に降り注いで水素（H）と反応して水《みず》になる。生成の際の生成熱が溜り高温になり化合反応を促進する。このような過程を軌道運動によって繰り返して前ページのような構造となった、というものである。

氏が描いた惑星（M）と地球の遭遇劇は以下の通りである。

地球と一五〇〇キロメートルのところを通過する。この地球との接近時間は四〇〇秒である。この際に惑星と地球は水・砂・氷破片で衝突する。したがって地球を固体衝突のようには破壊しないのである。

地球（E左）と惑星（M右）が接近する際に惑星（M）の内部に地球と惑星の重力の均衡によって無重力面が存在する。

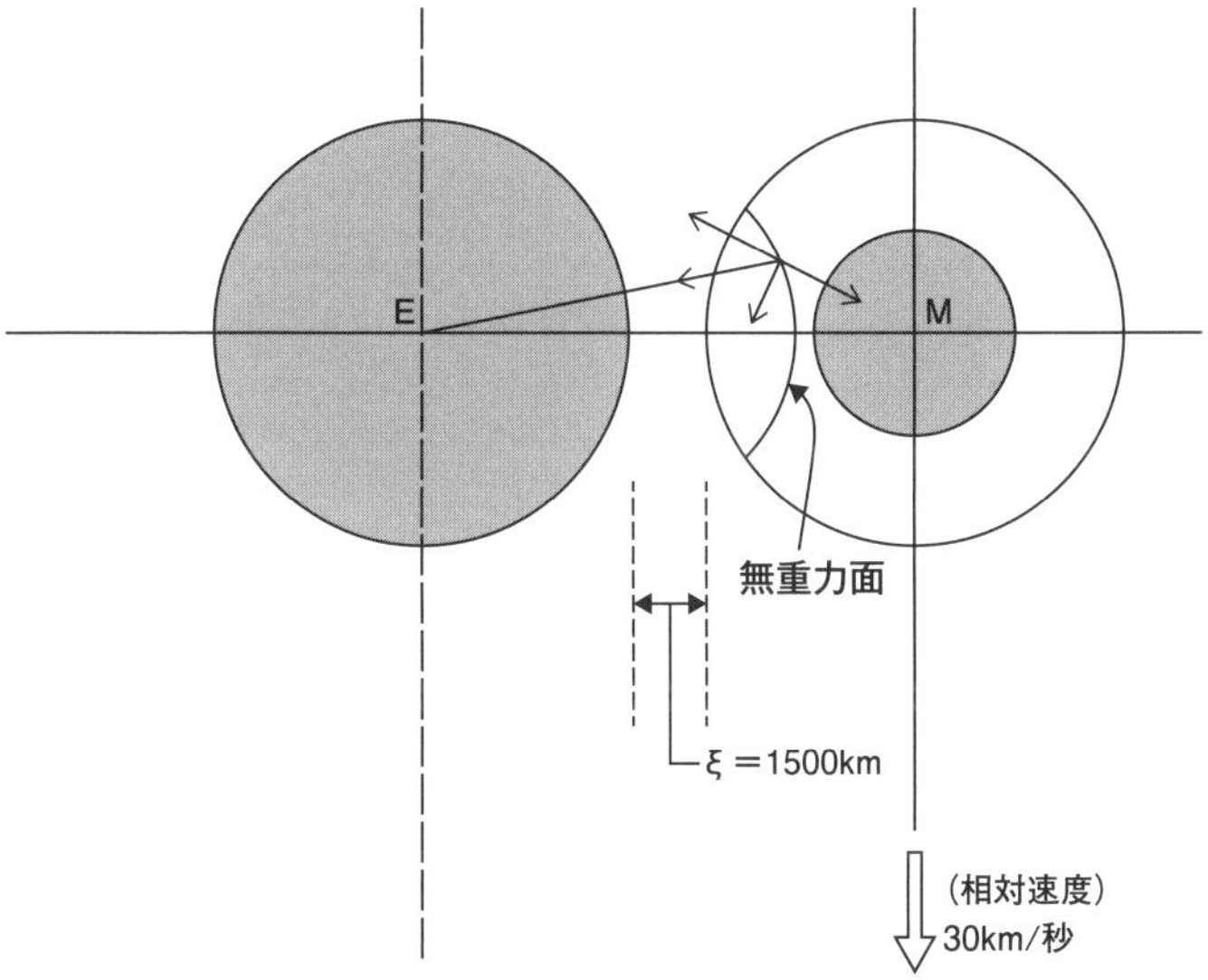
E
M
無重力面
ξ ＝1500km
（相対速度）
30km/秒

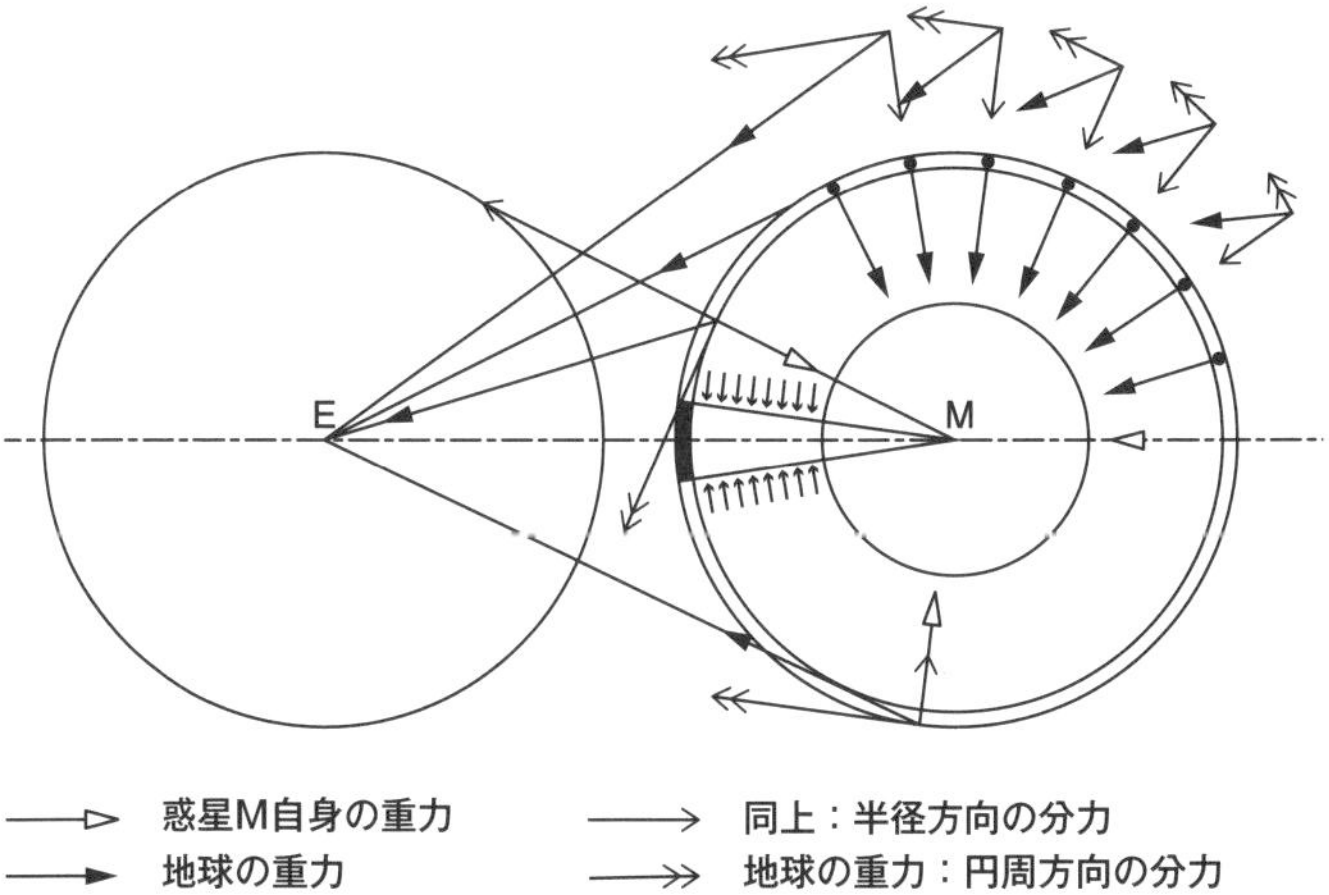
E
M
惑星M自身の重力
同上：半径方向の分力
地球の重力
地球の重力：円周方向の分力

（『灼熱の氷惑星』参考）

(『灼熱の氷惑星』参考)

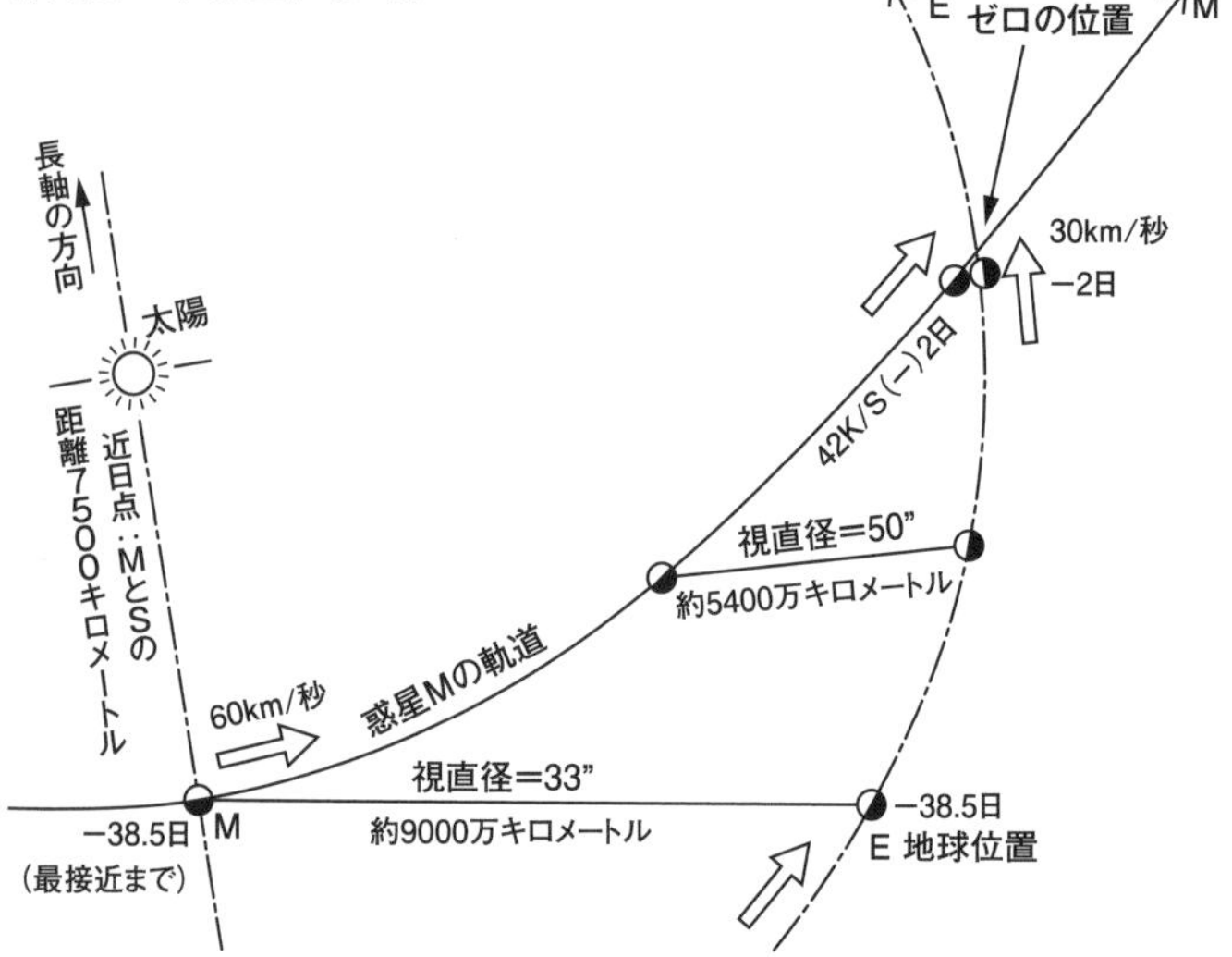

この接近の際に惑星の外殻の一部に左上の図の黒部分が地球の重力に引かれてズリ落ちてノズルが形成されて氷の外殻（氷）が抜けてスプラッシュ現象が起きる。氷と水が混じっていることからスプラッシュは水だけの場合と比較して著しく減速されて地球に留まることになる。

ノアの洪水の場合の惑星（M）のコースの復元図を上の図に示す。

ノアの洪水のケースの異変の中心地は次ページ図の通りである。大砂泥流を含んだ巨大なスプラッシュ（塊または液状の撥ね）がサハラ砂

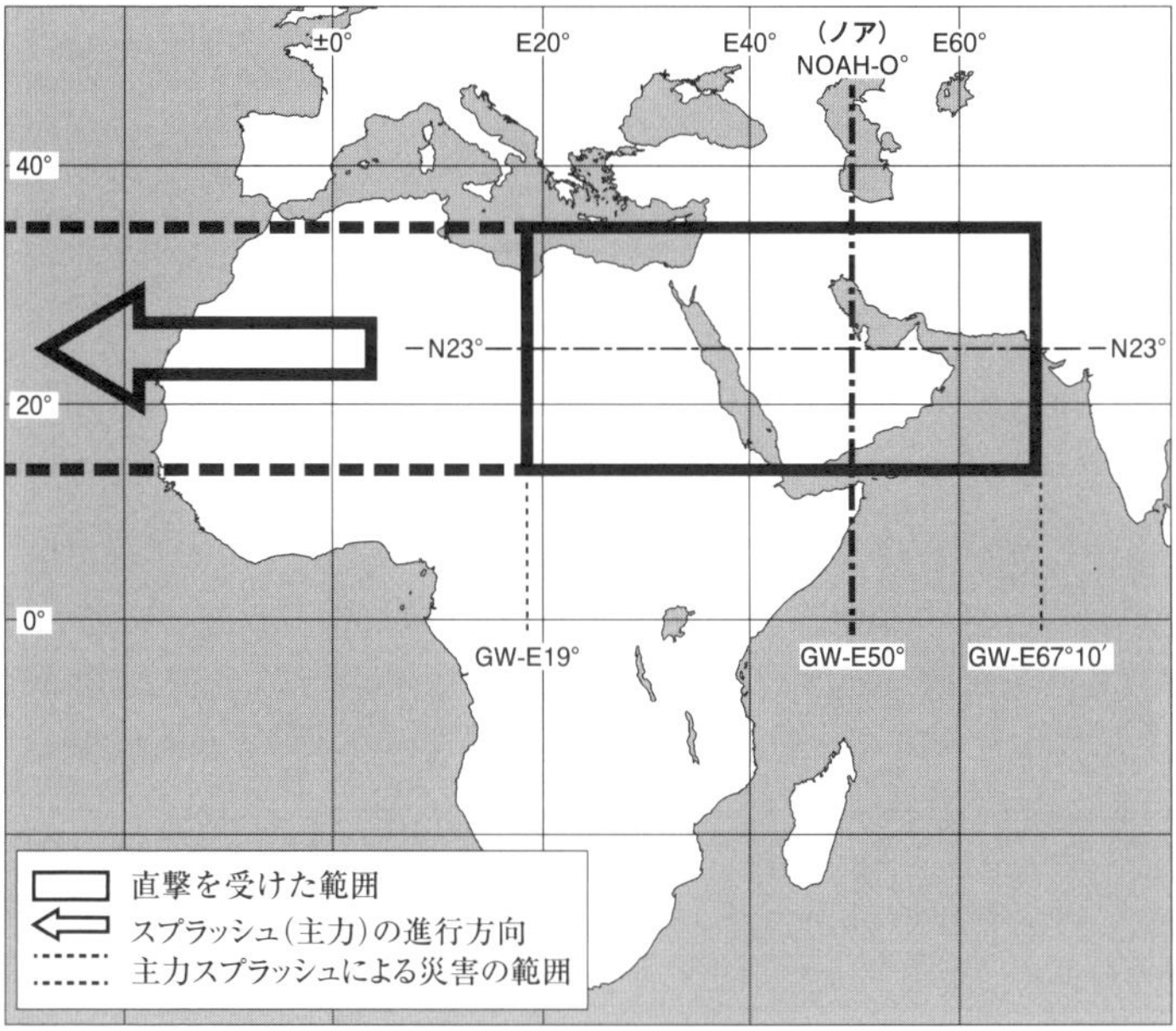

漠の真上を飛び水量は数十京トン以上と見られ、三十数キロメートル毎秒から一一キロメートル毎秒という高速度でサハラ砂漠の上空を二〇秒か三〇秒で通過して大西洋の遥か上空に出て地球を離脱していった。

　これはまさに「天の窓』が開いて砂混じりの水がどっと吐き出されたのである。この砂は惑星（M）の深層水圏から来ているので灼熱に近い温度を持っていたと考えられる。

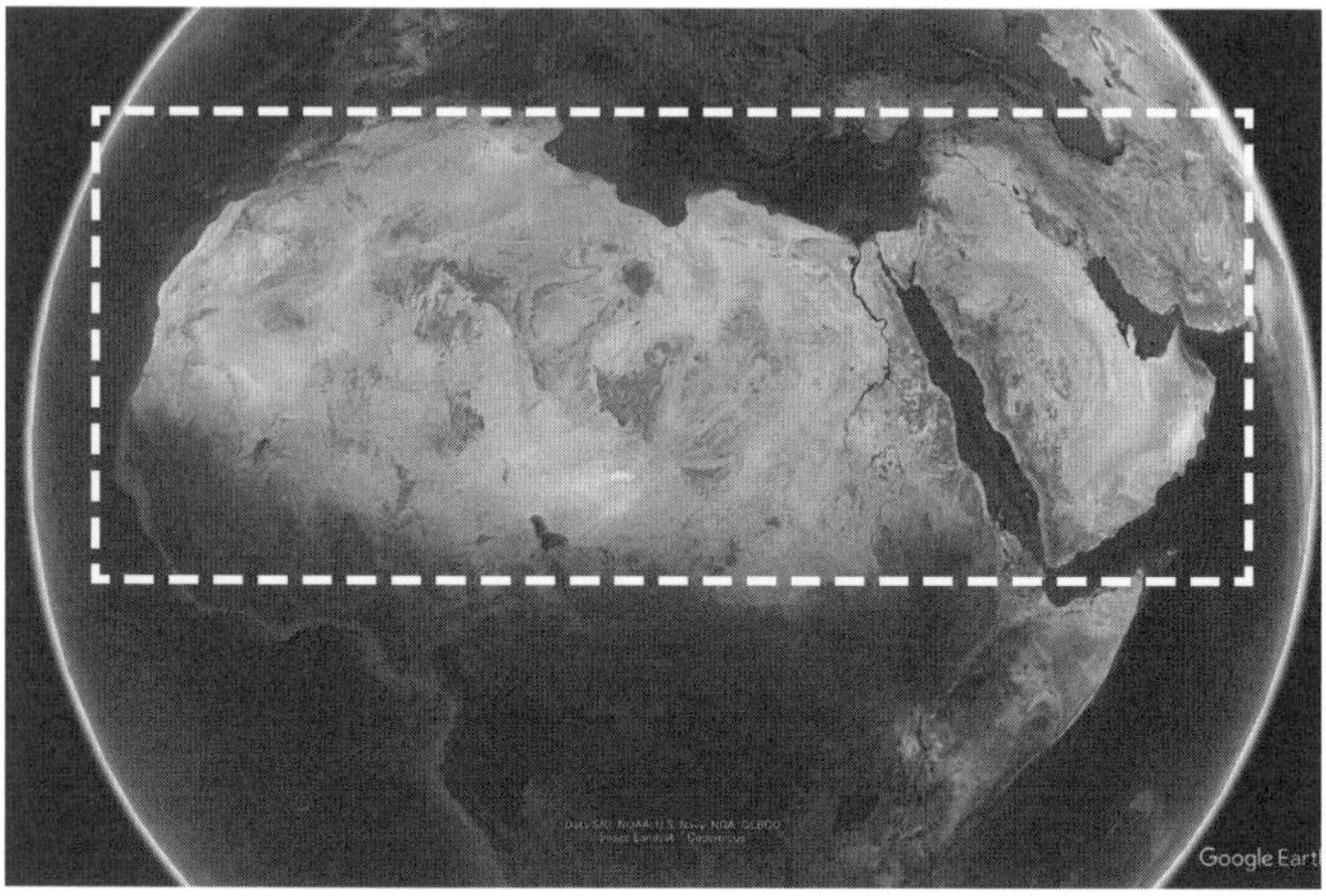

これによって大西洋に直接入ったスプラッシュと数十日も降り続く雨の原因となったシブキのようなスプラッシュと合わせて、ノアの異変のあと、地球の海面は一〇〇メートル以上も上昇したのではないかと考えられる。

上の写真（google earth）のアラビア半島からアフリカの砂漠の広がりは丁度スプラッシュの領域と重なる。

この際には液状との衝突により地球自体も暫く振動する。これによって巨大地震となり、洪水を伴って世界各地を襲った。

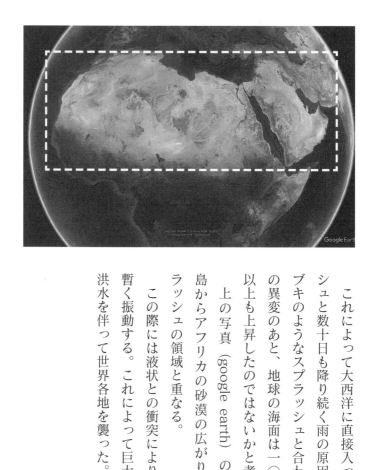

　さて地球表面に降り注ぎ水没したが、沈んだのは低い平らな沿岸の土地であった。急な斜面の海岸なら沈んだという実感はなかったであろう。東洋の太平洋西側沿岸地域の広い面積が洪水による巨大な水に遭遇した。その日の異変の直前までは陸地であった。

　左図の四地区はグレー部分がノアの洪水によって沈んだと思われる陸地であったところである。

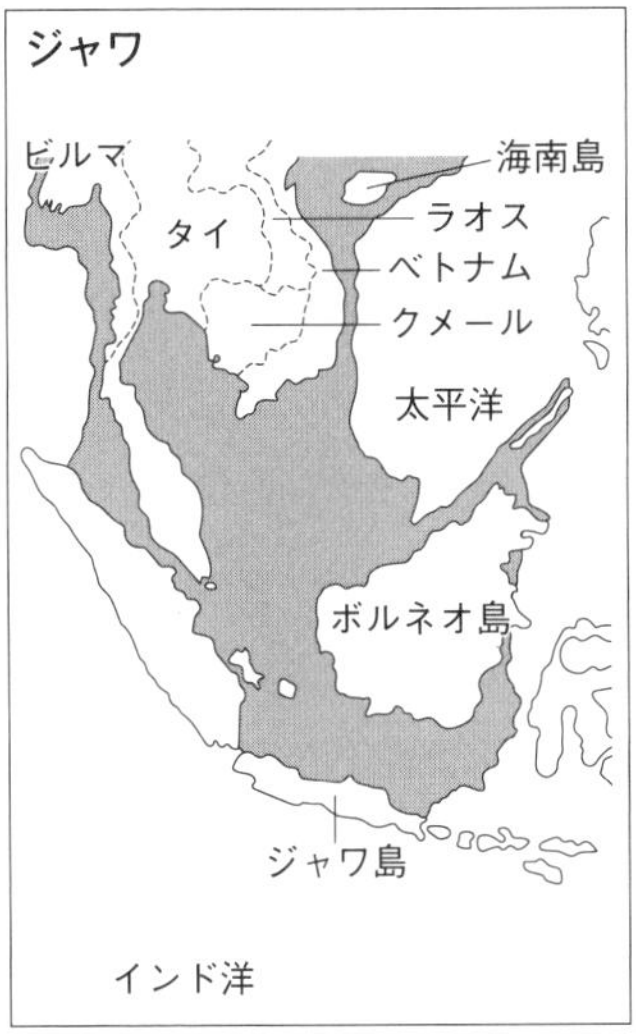

ここで日本近海に着目してみよう。右図左上を参照すると（もちろん信憑性という点は明らかにしていかなければならないが）同図の中央にある「日本海」は陸地であった。第四紀洪積世の地層はれき・砂・泥などが、まだよくかたまらない地層が多くまた、亜炭や泥炭などをはさんでいる。実は、日本海は新第三紀まで存在せず、日本は大陸と一続きだった。その頃の日本列島付近の化石の出土状況もこの事実を示している。

黄海（日本を含む）

イギリス・ヨーロッパ北部

このように少なくとも、二万年前までは現在の日本海は大陸に続く陸地であったのですが、何時日本海が現在のように大きな海になったのかは明らかにはなっていない。

現在の日本海は、平均の深さが一七五二メートル、最も深い地点で二七四二メートルである。中央の大和堆（水深約四〇〇メートル、最浅所は水深二三六メートル）を挟んで主に三つの深い海盆があり北に日本海盆（水深およそ三〇〇〇メートル）、南東にやや浅い大和海盆、南西に対馬海盆（ともに水深およそ二五〇〇メートル）と呼ばれている。また、富山湾沖から水深一〇〇〇メートルにも達する富山深海長谷が約七五〇キロにわたって延びている（富山平野や砺波平野はその延長である）。大陸棚が東部沿岸に広がっているが、西部、特に朝鮮半島沿いは非常に狭く、幅は三〇キロ程度である。

このように地質年代では新しくできてはいるが、最深部の深さや大和堆の存在など、どのようにしてこのような日本海ができたかは不明とされ、「日本海というひとつの縁海《えんかい》が、どのような過程を経て生まれ育ったか、という問題の解明は、現代地球科学にとって第一級の課題である」とされている（アーバンクボタ、№12「日本列島の地

殻」日本海と大和堆／絈野《かせの》義夫〈金沢大学理学部教授〉）。

左は、「日本海の地質図」（ソ連科学アカデミー極東科学センター太平洋海洋学研究所）を参考に図示したものと、併せて各地の地質学的な特徴を図示したものである。

日本海へのディープインパクトの可能性について

No.	場所	地質学的特徴と遺跡	備考
①	大和堆	インパクト時のクレータか?	クレータの一部にも見える。
②	断裂構造	━━━ 第一級断裂 ━ ━ ━ 第二級断裂	
③	東尋坊	柱状列石 	柱状節理は溶岩流および火山灰流凝灰岩（溶結凝灰岩）の冷却や、一部の浅い火成貫入（英語版）で起こりうる。堆積岩が近くの熱いマグマによって熱された時にも稀に起こりうる。
④	野洲川弥生遺跡	琵琶湖から野洲川上流に向けて逆流を生じた。	（弥生時代後期） 日本海から低地である**琵琶湖付近から**流れが**逆流**し押し寄せた。
⑤	唐古・鍵遺跡 （奈良県）	洪水による砂礫層が厚く弥生時代後期の遺跡を覆っている。	（弥生時代後期） 遺跡からは、**当時海底であった**ことを示す**鯨、エイ、鯛など魚類や貝の化石**が出土する。
⑥	松帆遺跡 （南あわじ市）	松帆銅鐸が砂の層から出土している。	南あわじ市の平野部分は数メートルの砂に覆われている。
⑦	青谷上寺地遺跡 （鳥取市）	鳥取市は（現在の砂丘地域より）広く砂に覆われている。	伝承に「**一夜で砂山ができた**」とありこの遺跡では、弥生時代の**遺物・遺骨が腐敗すること無く出土**。 女性の遺体からは、『脳』が保存状態のよい状態で出土（世界で6例目）。**無菌の砂**が堆積。
⑧	久田原遺跡 （岡山県中国山地）	海抜200mくらいに2mほどの砂に埋もれた弥生時代の遺跡が痛まずに出土	静かに砂がつもり、大きな石や岩は見られない。
⑨	中国山地	東西に長く、兵庫県付近から、西は山口県西岸までの約500kmに及ぶ。高い山でも標高約1,300m～1,000m程度、おおむね標高約500m～200m程度の低い山で構成されている。	日本海からの巨大な流れで削られた。 全般的に風化しやすい花崗岩が多く、侵食を受けて小起伏の多い準平原地形を呈している。

このように日本海の成り立ちが現在まで明らかにはなっていないが、五章では高橋氏の仮説に準じて筆者なりの考えを明らかにする。

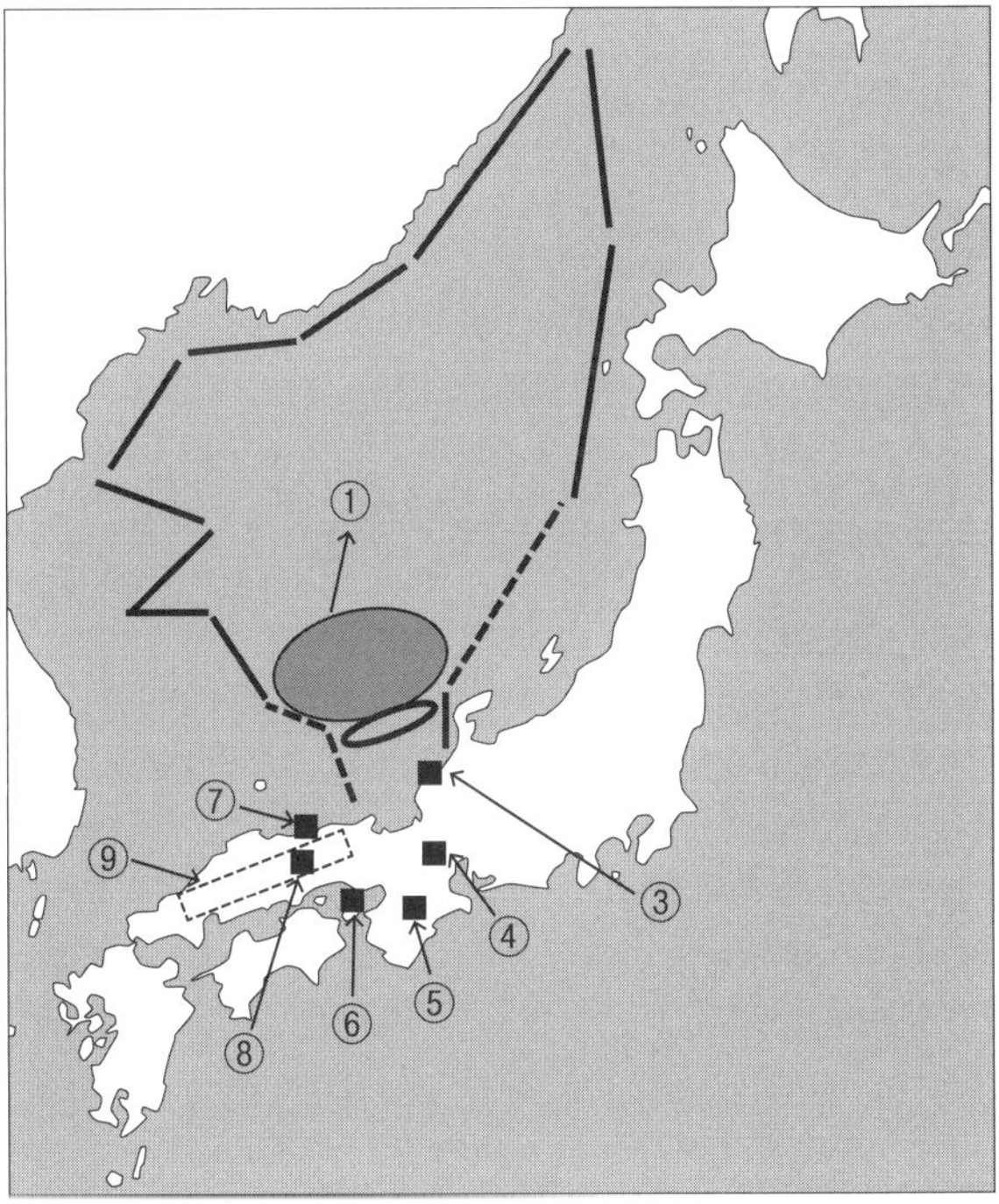

2　高橋説によって説明できるとされる地質時代の謎

前章で述べた高橋氏の説によって、これまで謎とされてきた地質時代のいくつかの事項をうまく説明できると考えるのである。

それらは、

①マンモスの謎
②炭田の謎
③氷河の謎

などである。

「①マンモスの謎」については、惑星（M）の接近によって地球に水が移されたわけだが、巨大な水がマンモスを直撃したのだとすれば謎を解くことができる。マンモスが襲われたのは、暖かい地域においてで、巨大な水がマンモスを襲うと同時にそれを一〇〇〇キロメートル、あるいは二〇〇〇キロメートルも離れたところへ押し流してしまった。シベリア北部の低いところへ来て水の勢いが衰えたところでマンモスの遺体はしばらく止まり、そこで冷凍された……という流れである。マンモスは暖かい地域で木の葉を食べていた。襲った水の温度は零下二〇度程度と氏は推測している。

これらの考察によって、

・何故、食していた木の葉の植生とは離れた地域でマンモスの遺骸が見つかるのか
・何故、瞬間冷凍されたような状態で見つかるのか（歯の間や胃の中に残っている木の葉は未消化）
・何故、マンモスの遺骸の肉は新鮮な冷凍の状態で見つかるのか

これら項目が合理的に説明できるというのである。

「②炭田の謎」に関する最も大きな謎は、大炭田に見られる巨大な物質の集積である。米国のミシシッピ川の東と西の平野に分布する大炭田の石炭埋蔵量は一兆五〇〇〇億トンもあり、これは巨大な物質の集積である。これについては、

- 長い時間をかけて集積したとすれば、この時間の間に植物は腐敗してしまう。長い時間をかけて造られたとすると古い植物から順序良く炭化作用が行われ石炭として貯蔵されたというわけにはいかない。土砂の流入なく石炭の材料だけが流れ込んだとするのも不自然である
- 短時間で一挙に集積されたとすると巨大な量の物質をどのようにして水平方向に移動できたのか

などの解けない謎が残る。

これを巨大な水力によって広大な地に繁茂していた膨大な植物遺体が集積されたと考えると説明が可能である。繁茂していた植物の大集群を一挙に根こそぎ引っ掻きさらうように全体としては大陸の平野に臨時の陸の海を作りながら、水勢が淀むような場所で、砂がまず沈み、洗い流された植物の大群が殺到し、その後水が退き植物遺体

の大集積ができて炭化作用に入った……というプロセスである。

問題は、炭化作用に必要な熱源である。

しかし大炭田の近くは、熱源となるような造山帯や地震帯とは無関係な地域なのである。

実は先に述べた砂は灼熱の砂であったことにより解決されるのである。砂の熱床である。それにより降り積もった砂によって植物の遺体を全部蒸し焼きにして炭化させたのである。

氷河の痕跡が地球上には沢山ある。現実に小規模な氷河も陸地の上に残っている。これまでは、寒気によって氷塊群ができたと考えられてきたが、氷塊群は寒気によって解けずに残っただけで、元々氷塊群は惑星（M）から来たものである。したがって、氷塊群は熱帯にも寒帯にも、山上、海洋にもあったと思われる。惑星（M）の水層圏の表面に厚い氷層があったからこそ地球に移動してきたのである。

この他、地軸の変動も起こり得たであろう。衝突に近い現象があれば、角運動量は変化して地軸の方向に変化があった。

以上が大まかな、高橋氏が謎に挑んでそれらの謎解きをした概要である。

この時点で、巨大な量の水が地球表面に溢れたものは、後に何事もなかったかのように陸地に戻っていることがある。

この点について、高橋氏は「アイソスタシー説」の原理で説明しきっている。要は、水や氷という重量物が地球マントルの上に降り注いだ後にマントル下部の圧力が均衡するように陸上を浮上させるための作用が起きたというわけである。

なお高橋氏が想定した惑星（M）が観測できるか？　ということが惑星接近を知る上で重要である。

しかしこの点については悲観的にならざるを得ない。軌道周期三〇〇〇年の軌道では、ほとんどの軌道位置で観測しても現在の光学望遠鏡（赤外含む）では検出できるレベルではない。我々から遥かに遠くにあり、太陽光が非常に微弱なものとなる上に反射光も地球に到達してもさらに微弱になるからである。

もし、すでに最接近後三〇〇〇年のうち、二〇〇〇年経過しているとしても地球からははるか遠くである。

以上は専門的な事項も多く、ここではこれ以上詳細には述べない。

アイソスタシー説について簡単に補足しておく。

【地球表面にみられる地形の変化は、比較的浅い部分の構造によって釣り合いがとれていて、地球内部のある深さより下では静水圧平衡の状態になっている。これをアイソスタシーまたは地殻均衡とよんでいる】

3　ノアの洪水伝承と実在性

ノアの洪水について記したものが二つある。

一つは、『旧約聖書』であり、「ノアの箱舟」の物語が創世記の六章から九章に記されている。

「最初の人アダムとエバが罪を犯してエデンの園を追放されたことに端を発して、人々の間に悪が蔓延し、世界は洪水で滅ぼされることになった。しかし神は全人類が滅亡することを望まず、一人の人ノアを選び箱舟を造ることを命じた。このノアの呼びかけに応じて箱舟に入った人や動物は洪水から救われて人類再生の基礎となった」

二つ目は、粘土板に記された文書（次ページ写真）の洪水物語である。洪水物語は

『ギルガメシュ叙事詩』という長い神話テキストに収められている。

『ギルガメシュ叙事詩』が記された粘土板
（写真提供　ユニフォトプレス）

この二つに記されたノアの洪水については、創世記が単に『ギルガメシュ叙事詩』という神話を焼き直したものではなく、全く異なる世界観を示すことが明らかである（詳細は略）。

神が世界を（洪水によって）滅ぼす動機について、

・ギルガメシュ叙事詩

　→人々の数が増え過ぎたから

・聖　書

　→人の悪が世界で増大したから

を具体的に挙げている。

さて、ノアの洪水の実在性について述べ

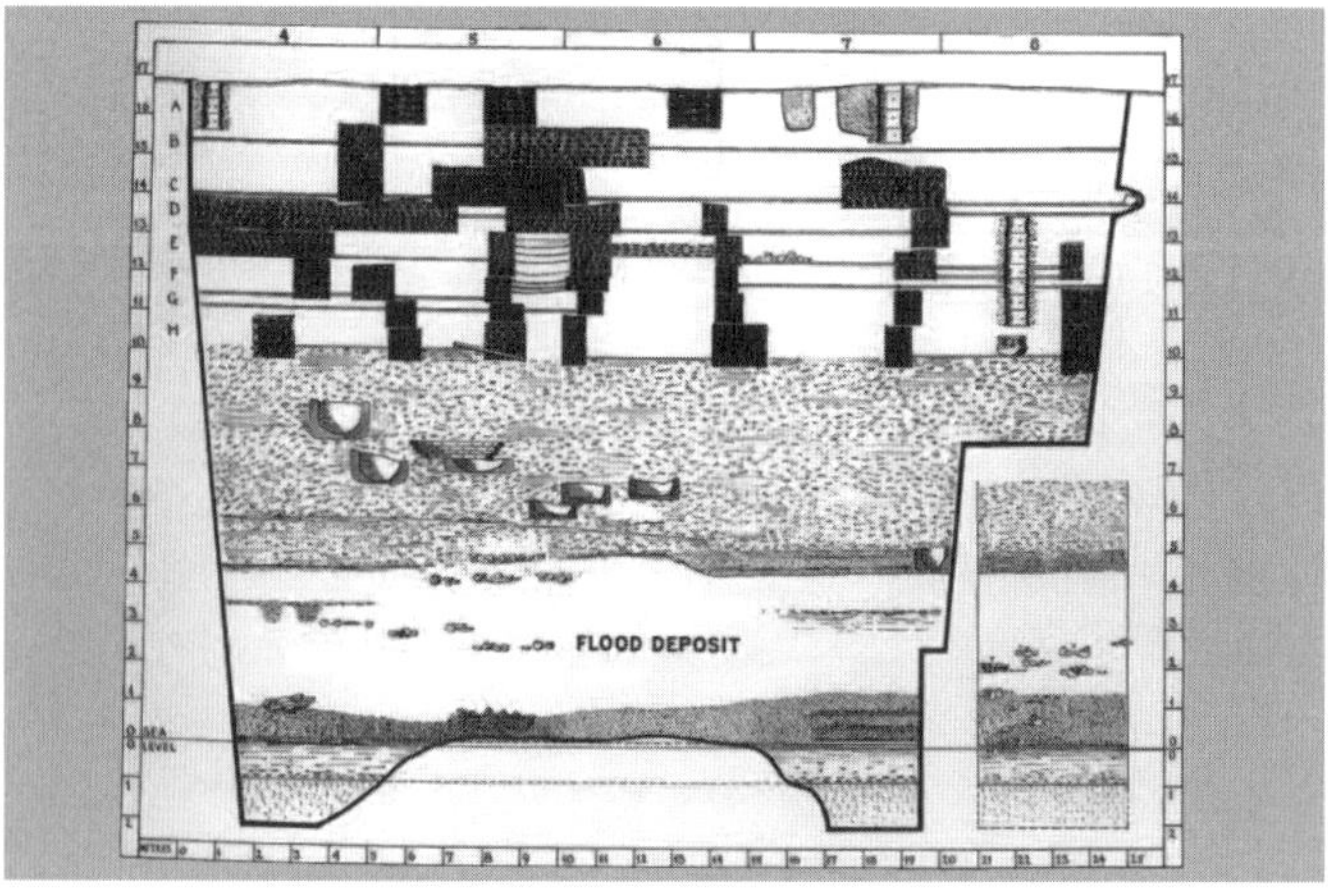

ウルの断面図（ウーリーのトレンチスケッチ）

ておく。

可能性が高いのは、メソポタミア南部の都市遺跡で発掘された大洪水の地層である。一九二八年から一九二九年に行われたウル遺跡の調査で、紀元前約三五〇〇年頃の厚さ三メートル以上ある分厚い粘土層を発見した（前ページ下の図）。その下からさらに人々の生活層が確認されたので先行する都市を破壊した洪水層（FLOOD DEPOSIT）だと理解された。同様の粘土層は他の都市でも発見された。しかしこれら洪水層の年代は出土する遺跡ごとに異なっているからである。

以上のように確定的な「ノアの洪水」の物理的証拠は見出されてはいない。最も確実なことが言えそうなのは粘土板文書に記された洪水物語『ギルガメシュ叙事詩』である。

また日本においても同じ頃（紀元前三〇〇〇年頃）に、松本市や安曇野市地域で、大洪水により多量の砂礫が厚さ一〇メートル以上堆積していることが確認されていることは既に述べた（信州大学防災研究部門報告より）。

なお古代には堤防や護岸が築かれていない場所がほとんどであり、大雨や台風のような嵐で、川からの氾濫によって洪水が起きることが多くあったようである。

ここで筆者なりの「ノアの洪水伝説」に関連する【状況証拠】について述べる。

紀元前三〇〇〇年頃に「ノアの洪水」が起きた後の時代についてである。

①三大ピラミッド

②バベルの塔（ジッグラッド）

三大ピラミッド

まず、①の三大ピラミッドである。

造営時期は現在より約四五〇〇年前の、紀元前二五〇〇年頃とされ、いずれもエジプト第四王朝期に建設されている。したがって、これら三大ピラミッドは「ノアの洪水」後であり、約五〇〇年後にあたる。これまで有力な説としては、古代エジプト王国のファラオの墓陵であり、被葬者はクフ王、カフラー王、メンカウラー王とされてきたが、筆者はこの見方は誤りではないか……と考えている。

この地にピラミッドが建設されるまで、ギザの地は王墓の地となっていなかった。主に王墓が建設されていたのはギザの南にあるサッカラであり、世界最古のピラミッドとされるジェゼル王のピラミッドもサッカラに建設されている。このピラミッドの建設は後世に多大な影響を及ぼし、それまでのマスタバ墓から代わって以後はピラミッドが王墓の中心的な様式となったと言われてきた。

王家の谷

しかしご承知のように、「王家の谷」（左下写真）に後の古代エジプトの新王国時代の王達の墓が集中していることから必ずしも巨大な三大ピラミッドがファラオの墓陵である、とは限らないのである。

クフ王のものとされるピラミッドは、三大ピラミッドの中で最大で、高さ約一四七メートル（現在の高さ約一三八メートル）である。クフのピラミッドの底辺の長さは約二三〇メートル。

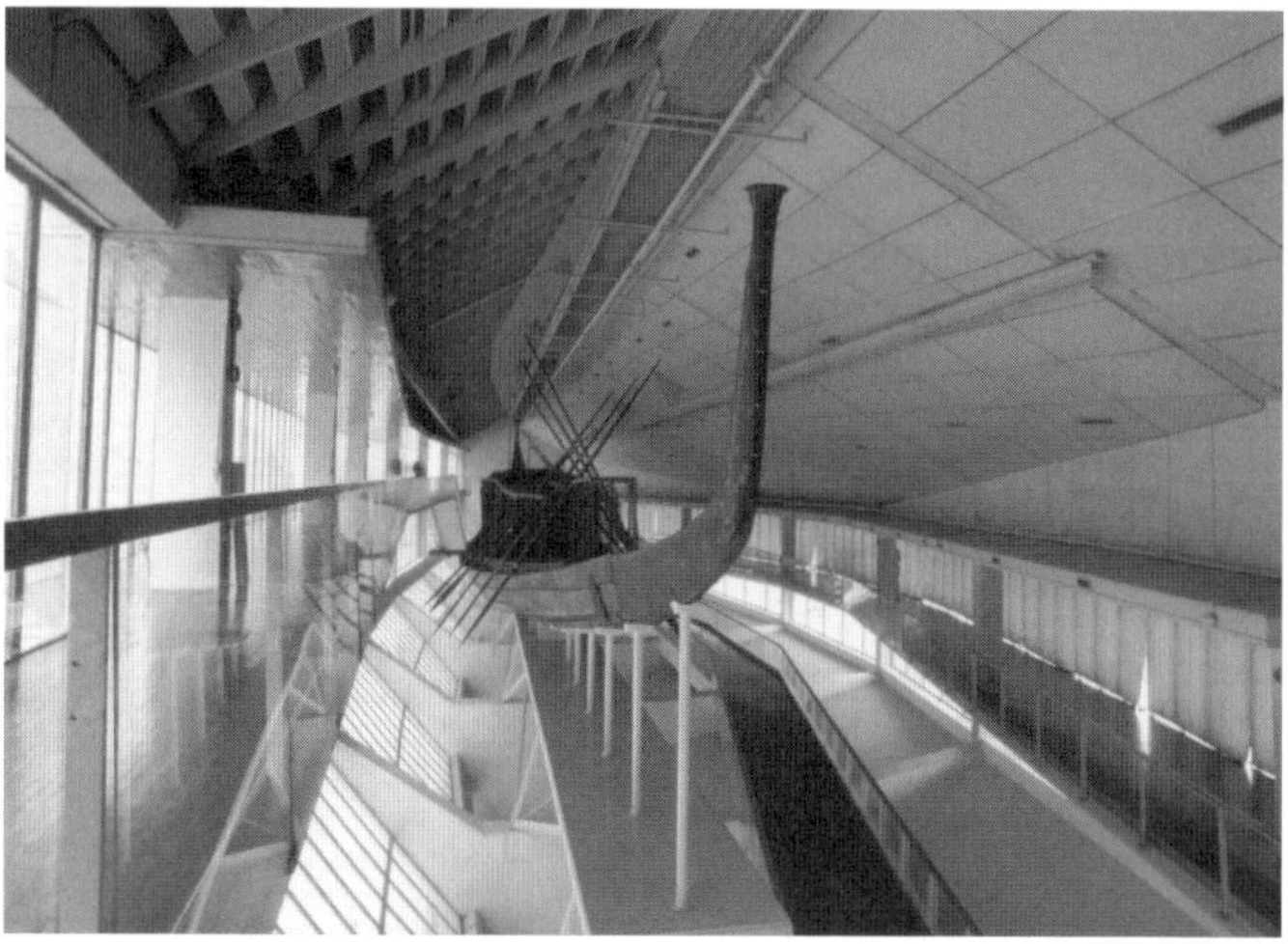

クフ王の船（wonderland / PIXTA）

一九五四年、付近から長さが四三メートル以上ある木製の「太陽の船（クフ王の船／Khufu ship）」が、分解された状態で発掘された。上は「太陽の船」復元写真である。

ここで興味のある事実関係が存在している。

★ノアの箱舟について聖書は長さ一五〇メートル、幅二五メートル、高さ一五メートル

★クフ王の「太陽の船」が長さ四三メートル

これらの巨大な船の存在は何を意味するのだろうか。クフ王のピラミッド

を墓陵とすると、何故、墓に船が二艘も必要だったのかの謎が残る。

さらにクフ王の「太陽の船」は、死後のための象徴的な意味であるなら、このような巨大船である必要はなく、その大きさから見ても明らかに実用を意図した船であろう。

推測してみれば、「ノアの洪水」を知っていたファラオ達は、次の洪水に備えて船の準備をしていたのではないだろうか。

だとすれば、ピラミッドと巨大な船は共に大洪水に備えた建造物と船と考えられるのである。それが証拠に巨大ピラミッドには埋葬や埋葬準備の形跡はない。

以上に加えて、世界には、多くの構造的に共通な「ピラミッド」が存在する。これらの地には、伝承があり、「来たる洪水に備えてピラミッドを造る」と伝えられている。グラハム・ハンコック氏による「太古からの啓示」では、エピソード2の中で、その例（メキシコのピラミッド）が紹介されている。

その中で、ピラミッドの建設は、「(神聖な) 泉」の上であることが紹介されているが、これも洪水による海面上昇時にもピラミッド底部において、「神聖な泉」から生存に不可欠な真水を得るためであったと推定される。

では、洪水伝承との関わり合いを見るためにもう少し、クフ王のピラミッドの構造を見てみる。

クフ王のピラミッドは、その建設素材についても工夫がなされていた。

石材同士はモルタルで接着されていたが、ギザのピラミッドでは石灰モルタルが使われて目張りされている。石灰モルタルは人と自然に優しい建材である。石灰モルタルの表面には、スポンジのような小さな穴が開いている。この小さな穴は湿気を取り込んだり吐

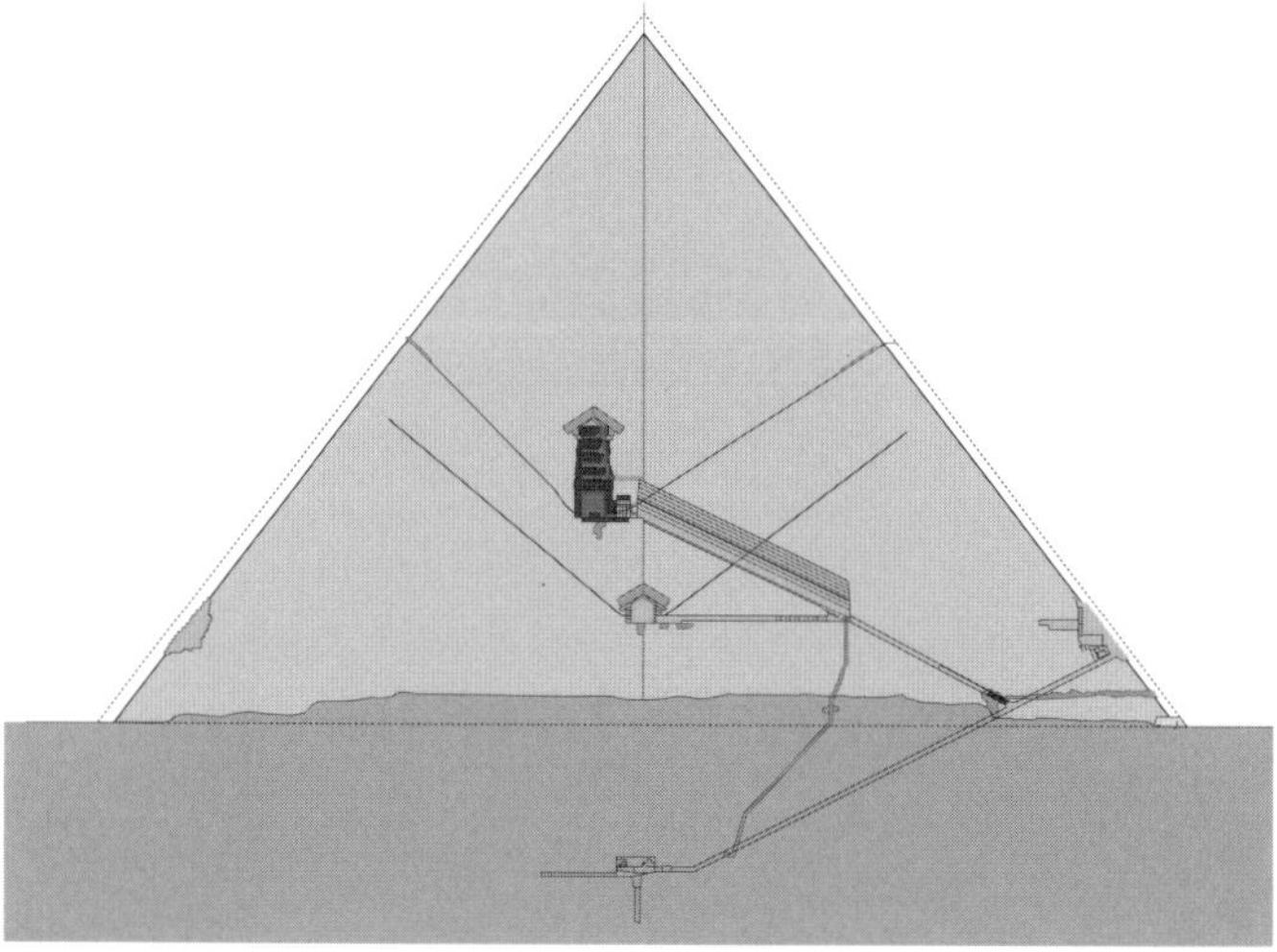

ピラミッド断面図

き出したりするので、余分な湿気を吸収する一方で、乾燥した時には溜め込んだ湿気を放出する。石灰モルタル自体が自然に湿度を調節するので、結露を抑えてカビの発生を予防するだけでなく、室内の乾燥も防いでくれるのです。例えば良好な居住環境を整えてくれる格好の素材が使われていたのである。

石灰モルタルの原料である消石灰は、二酸化炭素と結びつくことで石灰岩に変化する。何十年もかけてゆっくり二酸化炭素と結びつくため、年々強度が増していく。長い時代を睨んだうえでの建設だったわけである。

姫路城

この石灰モルタルを使った例として日本人にも有名な国宝「姫路城」がある。白鷺城とも呼ばれるが、これは石灰モルタルの城壁が白く美しいためである。

以上、クフ王のピラミッドについて特徴を纏めると、

★一〇〇メートル程度の（洪水による）海面上昇に対応できる

★洪水後にも船があり移動できる

★ピラミッドの地下泉から水を得られる

★建築材料の工夫で居住環境が得られる

★石灰モルタルを使用して耐水性のある、長期の構造体を維持できる

など現代に我々が想像するのに難しい建設工事をやってのけてピラミッドを完成させたのです。

なお、エジプトのクフ王のピラミッドには、実は二艘の船が準備されていたようである。

これから考えれば、一艘（艇長四三メートル）で一〇〇人程度乗船できるとすれば計二〇〇人規模の収容が可能であったであろう。

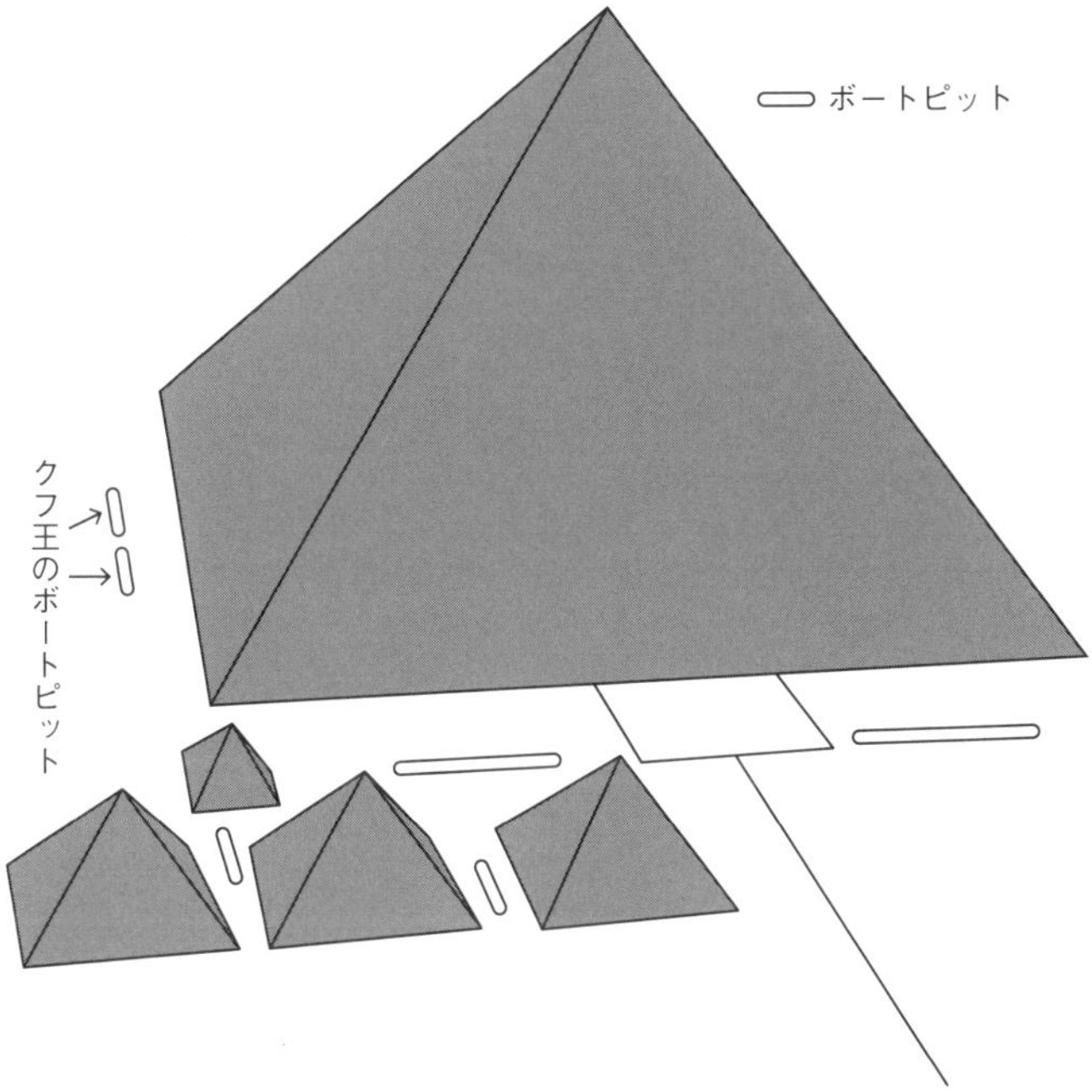

クフ王のピラミッド　ボートピット（iroha / PIXTA）

これだけ巨大なピラミッドが何故に建設されたか？

答えは、容易であろう……命を護るためだからこそ財・尽力と時間を惜しまず建設したのである。

しかし国民の命がすべて救えるわけではないのは当然である。とすれば、「ノアの箱舟」で伝えられるように、「選ばれし者達」が救われるようにと…。一方、バビロニア地方には、有名なバベルの塔がある。一部の研究者は紀元前六世紀のバビロンのマルドゥク神殿に築かれたエ・テメン・アン・キのジッグラト（聖塔）の遺跡と関連づける説もある。

バベルの塔の物語は『旧約聖書』の「創世記」一一章にあらわれる。そこで語られるのは下記のような記述である。時期的にはノアの物語（ノアの洪水）のあとでアブラハムの物語の前に置かれている。

「さあ、我々の街と塔を作ろう。塔の先が天に届くほどの。あらゆる地に散って、消え去ることのないように、我々の為に名をあげよう」

大洪水という天まで届くような海面の上昇を経験してできるだけ高く塔と居住場所

ウルのジッグラト／イラク　MHMADC Restored ziggurat in ancient Ur, sumerian temple in Iraq（写真：Alamy/アフロ）

を造って洪水によって押し流されて世界中に散らばり、自分達の文明が消え去ることのないようにしよう……との呼びかけとも取れ、あたかも「ノアの箱舟」の建造のように、ということであろう。

このバベルの塔（実際に出てくるのは『街とその塔』という言葉である）が「ノアの洪水」と深い関係があることは明らかである。

ジッグラッドと呼ばれる山に見せかけた高い神殿は高さ九〇メートルに達していた。

紀元前六世紀、バビロニア黄金時代を築いたネブカドネザル二世の時代に建てられた。七階建てで高さは九一メートルあった

出雲大社本殿模型(1/10スケール・平安時代)
写真提供　出雲大社／古代出雲歴史博物館

と言われている。これもやはり、ノアの洪水から二四〇〇年後であり、三大ピラミッドの建造時期とも近いのである。

最後の一つは、日本における古代の出雲巨大神殿である。社伝によれば最古の社の高さは九六メートルほどあったとされる。

この神殿は筆者の推定では、メソポタミア・バビロニア地方から日本に伽耶経由で渡来してきた人達の知識が影響したものである。ご承知のようにメソポタミアと言えば先ほどのジッグラッド建設の地である。したがって、「ノアの洪水」を既知とする人達であり、巨大神殿造営の目的はジッグラッド、バベルの塔と同じではないだろうか。規模から見ても、高さが九〇メートル以上と同じである。なおエジプト・ピラミッドと類似の「ピラミッド構造様式」の建設物は世界中に見られるものである。これは高層建築物を建設するに際して底面が四辺形で段々に積み上げていく方式が最も構造的に安定してシンプルに工事を進められるからではないだろうか（建築設計家六本氏による）。

以上、世界に分布する古代の「高層建造物」を比較してみた。

古代から人類の生命は、火山噴火、地震、津波、洪水など自然の驚異に晒されてきた。最も被害が甚大となるのは水害であった。例えば、近年の東日本人震災においても被害者の九〇パーセント以上は溺死であった。地震動による建築物などの倒壊によって死に至るケースよりは、圧倒的に「水」による被害者の数が多いのである。東日本大震災においてもリアス式海岸地域に建てられていた神社の八〇パーセント以上はほとんど被害を受けていなかった。これは、古来、神社は「生命を守る場所」としてあったからこそである。また、この地域には、「ここより下に家を建てるべからず」との碑もあった。

古代の高層建築は、いずれも高さが、一〇〇メートル内外とほぼ同じ高さである。もちろん、神と天空という信仰的な要素もあったかも知れない。

しかし、いずれの地の人達も過去における「大津波・大洪水」を体験している。また当時の人々や権力者が、「巨大洪水」の再来を予見していたとすれば何らかの対応策を講じた可能性はある。巨大ピラミッドの建設は、「ノアの洪水」の五〇〇年ほど後であった。

一方、本書の主目的である（筆者の想定している）周期的に襲う「巨大洪水」の到来は、紀元前後に再来する可能性が予見されていたかも知れないのである。その意味で、緊迫した時代でもあり、それを象徴するのがクフ王の「太陽の船」ではなかっただろうか。

古代人達が宇宙や天文観測に力を注いでいたことはよく知られている。分点（春分・秋分）や至点（夏至・冬至）を観測により割り出し、人間の生活に密着した季節の経過を把握していた。

あたかも五〇〇〇年前の「ノアの箱舟」の如くである……。『創世記』には、神がノアに仰せられた件《くだり》の後、「その日に、巨大な大いなる水の源が、ことごとく張り裂け、天の水門が開かれた……」という記述があり、高橋氏の惑星説による洪水の状況説明とも一致している。


最後に、高橋氏がノアの洪水の異変の中心地であるとしたサハラ砂漠を起点として生じたスプラッシュの帯に対して古代の「失われた都市」を見てみよう。

次ページ上の図は、古代の失われた都市であり、古代に繁栄したものの廃墟として後世に見いだされたものたちである。次ページ下の図はスプラッシュの影響を受けたと想定される砂漠の領域を示した図である。

比較すると大まかには失われた都市が重なるが、都市によっては廃墟となった時代が異なる可能性もあるので更に検討が必要であろう。

しかしこれらの都市が廃墟と化した（六三ページがメソポタミア）のは何故か。

もう一点注意すべきは、高橋氏の惑星説が正しいとしても、

・三〇〇〇年ごとに必ず同じ条件の大洪水が発生するとは限らないことである。

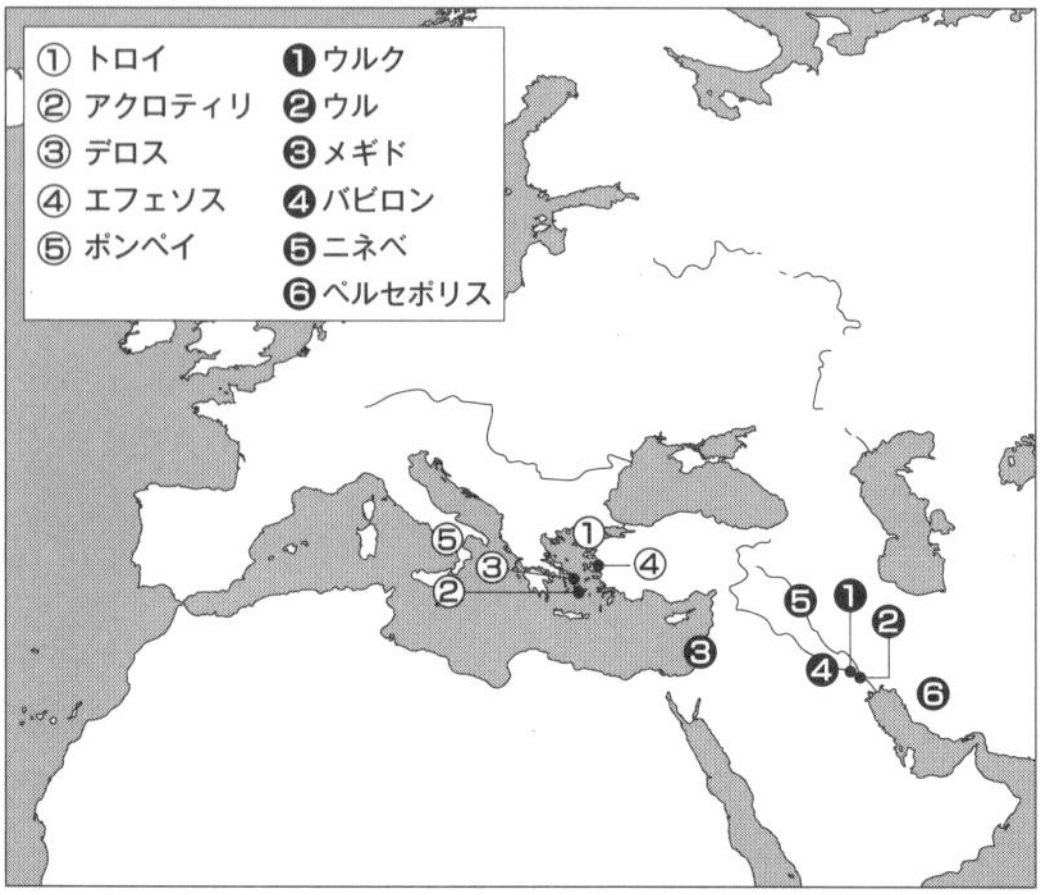

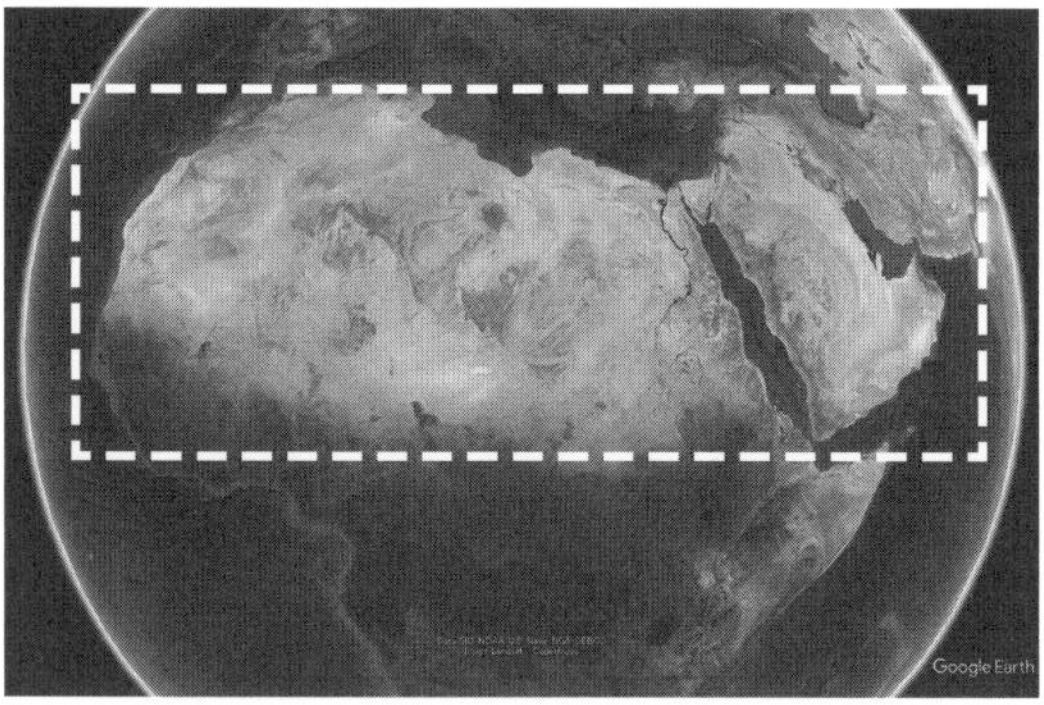

三〇〇〇年周期の惑星軌道だとすれば、太陽から最も離れた地点は、太陽―地球間の距離の四〇〇倍ほどありそうである。

このような惑星と地球の接近時の条件が毎回同じとは限らず、その影響で生じる「大洪水」も同じものが起きるということには必ずしもならないことに注意されたい。

下の写真はメソポタミアの遺跡（メギド）であるが、地面スレスレの部分は残されているが、それより上については削り取られたように見える。巨大な水が押し寄せて削り取っていったのだろうか？

メギド（Norm lane / PIXTA）

4 アトランティス伝説とプラトン

アトランティスについて伝えたのは、古代ギリシアのアテナイ（アテネ）に生きた哲学者プラトン（紀元前四二七年―前三四七年）である。プラトンは『対話篇』と呼ばれる著作群を遺している。

『対話篇』というのは、プラトンの師ソクラテスが当時の著名な知識人と繰り広げる架空の対話によってソクラテスとプラトン自身の思想を展開したものである。多くの登場人物は実在の人物である。初期のものは、「ソクラテスの弁明」のようにソクラテスの思想をそのまま伝える色彩が強いが、後期の作品ではプラトンの思想の方が色濃く出ていると言われている。

アトランティスについては、プラトン晩年の対話集『ティマイオス』と『クリティアス』において語られている。

『ティマイオス』の冒頭でアトランティス伝説について簡単に言及がある。『国家』での話題の中で、太古に存在したという国を思い出したという登場人物の一人クリティアスが言い出す。次いでティマイオスという人物が、世界の創造、人間の身体の成り立ちなどについて語る。国家のあり方を考えるために、世界の始まりからの歴史がふり返られるのです。ティマイオスは、イタリア半島南東岸のロクリスのすぐれた政治家で、天文学にも通じた人物として登場する。

続く『クリティアス』において詳しい説明がなされる。『ティマイオス』冒頭でアトランティスの話に言及した。『クリティアス』はその叙述のほとんどがアトランティスを描き、この『対話篇』は「アトランティス物語」と呼ばれているが、実はその物語は突如中断され、未完となっている。何故、中断のままになっているのか、真相は分かっていない。

詳しい話は別著に譲るとして、古代七賢人の一人である「ソロン」がエジプトに旅した時に、ナイル川河口の西にあった都市サイズの「神官」から「アトランティス」

の物語を聞いたというものである。

「ソロン」のエジプト訪問については、紀元前五世紀の歴史家「ヘロドトス」も伝えており、その年代は、紀元前五九三年頃としています。バビロンのジッグラッド建設の頃である。

エジプトの神官によると、アトランティスが存在したのはソロンの時代から九〇〇〇年以上前。おおよそだが、今から一一六〇〇年ほど前くらいである。人類史上は石器時代で国の存在は確認されていない。『プラトン全集』（岩波書店）で、アトランティスの位置について、

「大西洋にあった。リビュア（北アフリカ一帯を指す）とアジア（小アジアで現在のトルコ辺り）を合わせたよりもなお大きいものであった」

とある。始まりの頃、神々は領土の分配を行い、のちのアトランティス島を領有することになったのが、ポセイドンであった。

初代の王が「アトラス」だったのでこれに由来して「アトランティス」と名付けられた。

ポセイドンは、妻のクレイとの住居の周りの大地を砕き取り、環状水路を巡らせ、それに囲まれた島に王宮が築かれ、アトランティスの首都の中心部とした（左の図）。王宮の存在した中央島は、直径八八八メートルであった。首都は外海と水路によって結ばれていたが、首都の北方には大きな平野が広がっていたと言われる。東西約五〇〇キロ、南北約三五〇キロ程度で、平野には運河が碁盤の目状に走っていたという。

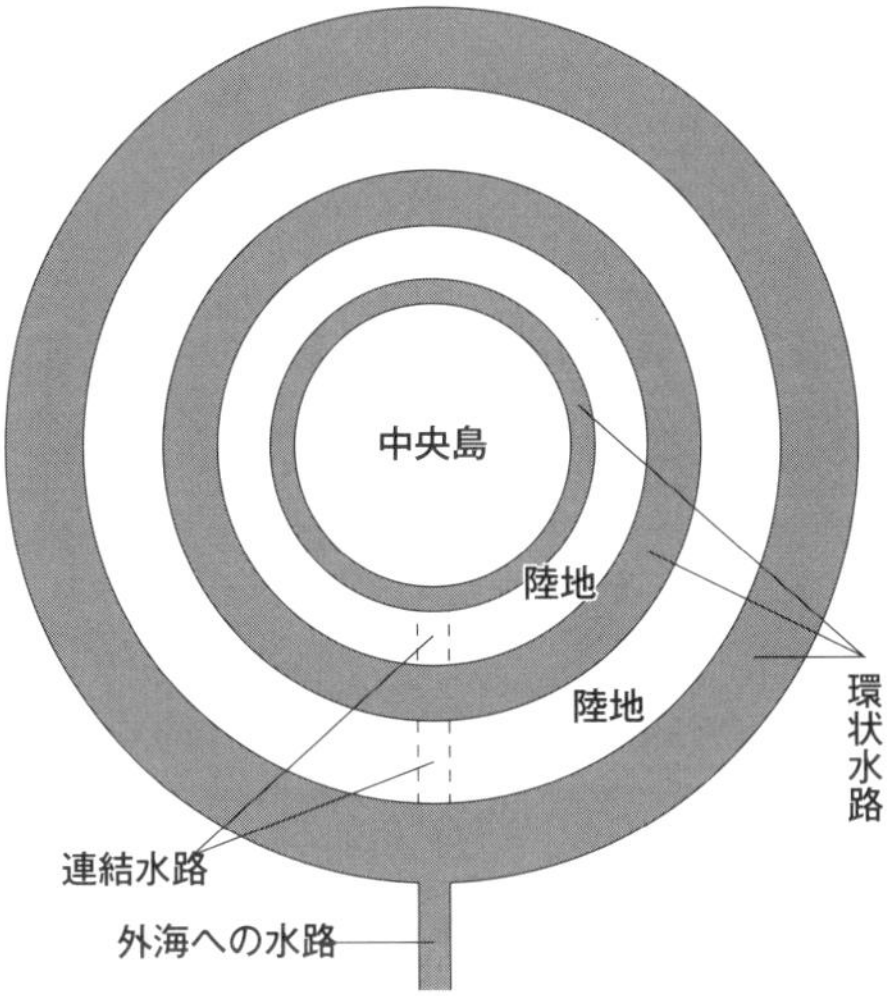

アトランティスの首都
（『アトランティス・ミステリー』参考）

アトランティスは繁栄し豊かな自然と家畜や野生動物に豊富な餌を提供する草原も広がっていた。森林も豊かでいろいろな需要に応じる種類と寸法の木材もあった。地下資源も豊富で、地上に産する香料は何でもあり、葡萄、穀物、油を作る木の実など豊富に採れたアトランティスはさんさんと降り注ぐ太陽のもとにあって、豊かな実りがもたらされていた。

歴代の王達は、「かつてのいかなる王の権力をもってしても集められなかった、またこれからも集められたことがないような莫大な富を持ち、おおよそ都市で必要とされるあらゆる施設はことごとく備え付けていた。アトランティスの軍事力も強大で、首都だけで、一二万の重装歩兵、同数の弓兵や投石兵、三六万の軽装歩兵、戦車一万台、戦艦一二〇〇隻分の要員を維持することができた」とされています。

栄華を極めたアトランティスは、ついには地中海全体を征服しようと企てたのですが、アテナイによって撃退されたと伝えられる。

そのあとアトランティスは、こうした支配欲の果てに「堕落」に対する罰を受けることになりました。

最高神ゼウスはアトランティスの住民が次第に「堕落」していく様子を見ていました。かつてのアトランティスは、

・徳以外のものはすべて軽視し

・自分達の所有物（私財）にこだわるようなことはせず
・富ゆえの贅沢に酔って自制心を失うことはなかった
堕落と傲慢に対して、ゼウスが罰を与えようとするところで「クリティアス」は中断されている。

アトランティスの最期については「ティマイオス」の方で先に述べられている。

エジプトの「神官」は言う。

「しかし最後に異常な大地震と大洪水が度重なって起きた時に過酷な口がやって来て、その一昼夜の間に、あなた方アテナイ人の国の戦士はすべて一挙にして大地に呑み込まれ、またアトランティス島も同じように海中に没して姿を消した。……その結果航海の妨げにもなっている」

このようにアトランティスは滅亡し、アテナイも災害に襲われている。

神官は、それによって文字が失われ、アテナイでも太古のことが忘れ去られたのだと言う。

神官は語り——

・書法（文字や記号で遺す方法）は災害（洪水）によって失われた
・文明国家の指標となるすべての技術が失われた
・洪水は天からやって来た
・災害の結果、もっぱら文字を知り教養のある人が大量に死んだ
・歴史に関する知識が失われた
そして再度神官は強調した――
・洪水は、海からではなく、天からやって来た
さらに、
・洪水により、社会の中でも、より文明化した階層を除去した

このアトランティス伝説における洪水の説明「……天からやって来た」は、前章のノアの洪水と同じ状況であることが判明する。

このアトランティスについても、高橋氏が説明する「大洪水の惑星起因説」が成り立っていることは注目すべき点である。

5 「ツダの洪水」
──正史『日本書紀』に記された大洪水

これまで記録として遺されたものとして、
①『プラトン対話篇』（アトランティス消滅）
②『旧約聖書』『ギルガメシュ叙事詩』（ノアの洪水）
を取り上げた。

今回の調査の中で、我が国においても同様の大洪水によるとみられる海面上昇の記述を『日本書紀』の中に発見した。
③『日本書紀』巻第九　仲哀天皇九年十月（神功皇后摂政前紀）
④『日本書紀』巻第九　仲哀天皇九年十二月（神功皇后摂政前紀）
である。この③と④の『日本書紀』該当ページを次ページに示す。

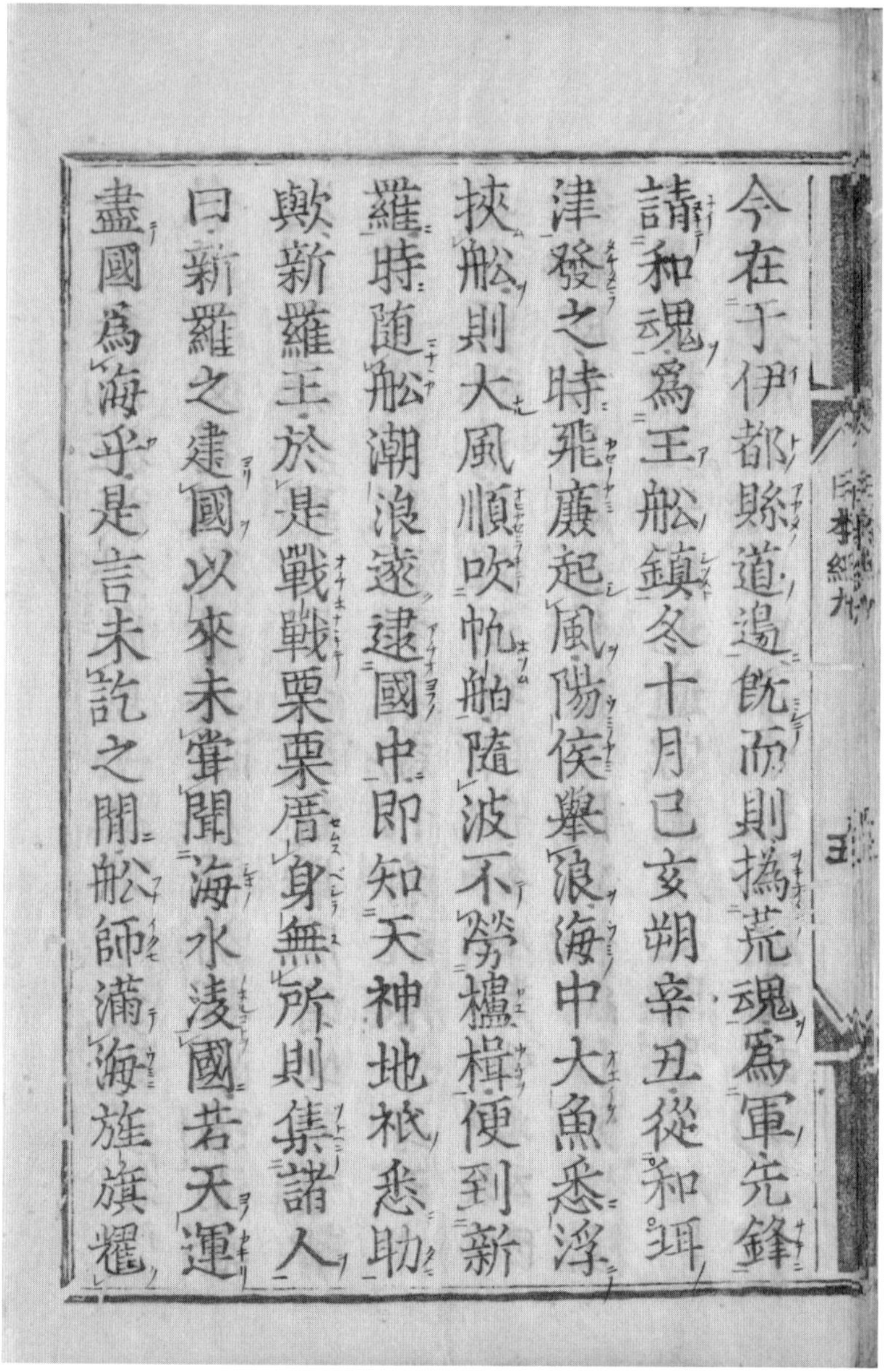
今在于伊都縣道邊既而則撝荒魂爲軍先鋒請和魂爲王船鎭冬十月己亥朔辛丑從和珥津發之時飛廉起風陽侯擧浪海中大魚悉浮挾船則大風順吹帆舶隨波不勞櫨楫便到新羅時隨船潮浪遠逮國中卽知天神地祇悉助歟新羅王於是戰戰栗栗厝身無所則集諸人曰新羅之建國以來未嘗聞海水淩國若天運盡國爲海乎是言未訖之閒船師滿海旌旗耀

③『日本書紀』巻第九　仲哀天皇九年十月
（国立国会図書館デジタルコレクション）

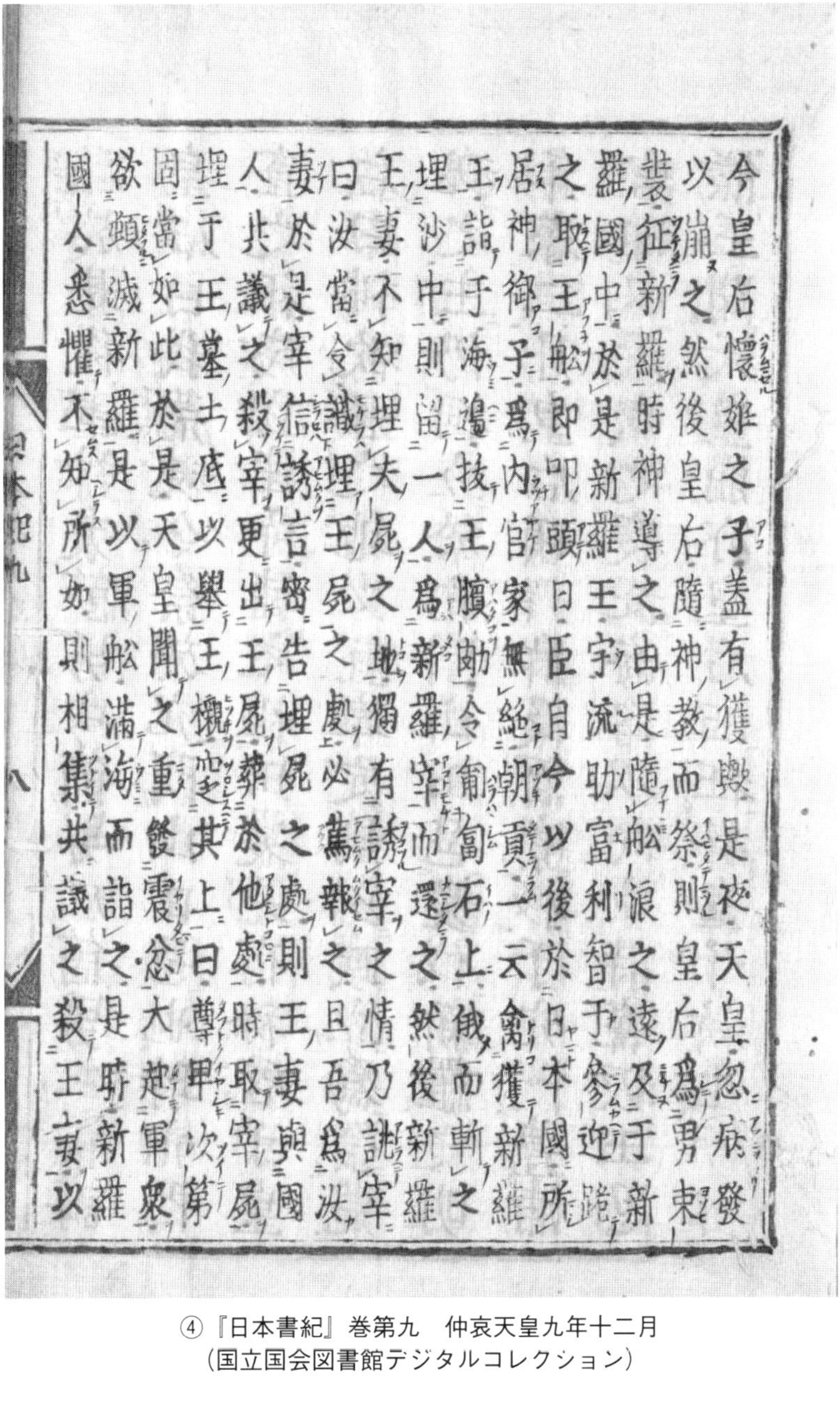

今皇后懷姙之子盖有獲歟是夜天皇忽病發
以崩之然後皇后隨神教而祭則皇后爲男束
裝征新羅時神導之由是隨船浪之遠及于新
羅國中於是新羅王宇流助富利智干參迎跪
之取王船即叩頭曰臣自今以後於日本國所
居神御子爲内官家無絶朝貢一云禽獲新羅
王詣于海邊拔王臏筋令匍匐石上俄而斬之
埋沙中則留一人爲新羅宰而還之然後新羅
王妻不知埋夫屍之地獨有誘宰之情乃誂宰
曰汝當令識埋王屍之處必篤報之且吾爲汝
妻於是宰信誘言密告埋屍之處則王妻與國
人共議之殺宰更出王屍葬於他處時取宰屍
埋于王墓土底以舉王櫬窆其上曰尊卑次第
固當如此於是天皇聞之重發震忿大起軍衆
欲頓滅新羅是以軍船滿海而詣之是時新羅
國人悉懼不知所如則相集共議之殺王妻以

日本紀九　八

④『日本書紀』巻第九　仲哀天皇九年十二月
(国立国会図書館デジタルコレクション)

それではそれぞれについて概要の説明をする。

まず③については、原文を参照すると、

「冬十月己亥朔辛丑従和邇津發之時……新羅王於是戰戰慄慄……集諸人曰新羅之建国以来未嘗聞海水凌國若天運盡國為海乎……」

である。その概略意味は、

「二〇〇年一〇月二七日
神功皇后が新羅征伐のために和珥津《わにのつ》を出発した。

時に風の神が風を起こし、波の神は波をあげて、海中の大魚は悉く浮かんで船を助けた。

順風が吹いて、帆船は波に従い、苦労もなく新羅に着いた。

時に船を乗せた浪は国の中にまで及び、天神地祇の助けがあることを知った。

新羅王は戦々恐々として為す術がなく、諸人を集めて言うには『新羅の建国以来、海水が国に上ってくるなどとは聞いたことがない。天運尽きて国が海となるのか』と」

これより、新羅の国が海中に没して国土が海になったという。明らかに洪水によっ

郵 便 は が き

料金受取人払郵便

新宿局承認

2524

差出有効期間
2025年3月
31日まで
(切手不要)

1 6 0-8 7 9 1

1 4 1

東京都新宿区新宿1－10－1

(株)文芸社

愛読者カード係 行

お名前《ふりがな》		明治 大正 昭和 平成 年生 歳		
ご住所《ふりがな》	□□□-□□□□		性別 男・女	
お電話 番 号	(書籍ご注文の際に必要です)	ご職業		
E-mail				
ご購読雑誌(複数可)		ご購読新聞 新聞		

最近読んでおもしろかった本や今後、とりあげてほしいテーマをお教えください。

ご自分の研究成果や経験、お考え等を出版してみたいというお気持ちはありますか。

ある　　ない　　内容・テーマ(　　　　　　　　　　)

現在完成した作品をお持ちですか。

ある　　ない　　ジャンル・原稿量(　　　　　　　　　　)

書　名			
お買上 書　店	都道　　　市区 府県　　　郡	書店名	書店
		ご購入日	年　月　日

本書をどこでお知りになりましたか?

1.書店店頭　2.知人にすすめられて　3.インターネット(サイト名　　　　)

4.DMハガキ　5.広告、記事を見て(新聞、雑誌名　　　　)

上の質問に関連して、ご購入の決め手となったのは?

1.タイトル　2.著者　3.内容　4.カバーデザイン　5.帯

その他ご自由にお書きください。

(　　　　)

本書についてのご意見、ご感想をお聞かせください。

①内容について

②カバー、タイトル、帯について

弊社Webサイトからもご意見、ご感想をお寄せいただけます。

ご協力ありがとうございました。

※お寄せいただいたご意見、ご感想は新聞広告等で匿名にて使わせていただくことがあります。

※お客様の個人情報は、小社からの連絡のみに使用します。社外に提供することは一切ありません。

■書籍のご注文は、お近くの書店または、ブックサービス(0120-29-9625)、セブンネットショッピング(http://7net.omni7.jp/)にお申し込み下さい。

て海面が国土より上昇してしまったことを示している。

次に④は、『日本書紀』の記述は、

「禽獲新羅王詣于海辺抜王臏筋令匍匐石上俄而斬之埋沙中……然後新羅王妻不知理夫屍……王屍之処必報之……」

である（一部略）。その概略の意味は、

「新羅王を捕虜にして海辺に還り処罰した後、石上に置いた後砂の中に埋めた。新羅王の夫人に祀るように言った」

これは「石上神宮」と呼ばれるようになった由来を示しており、現在の「石上神宮」が海辺であったことを示している。

古代には奈良盆地あたりが、大和湖（奈良湖とも呼ぶ）と呼ばれる大きな湖で、地名考証からもこの「石上《いそのかみ》」も水辺であったことが示されている。

石上神宮が海であることから推測すると、現在の海面に比して一〇〇メートル程度上昇していた計算になる（その当時の大和湖の様子を次ページに示す）。

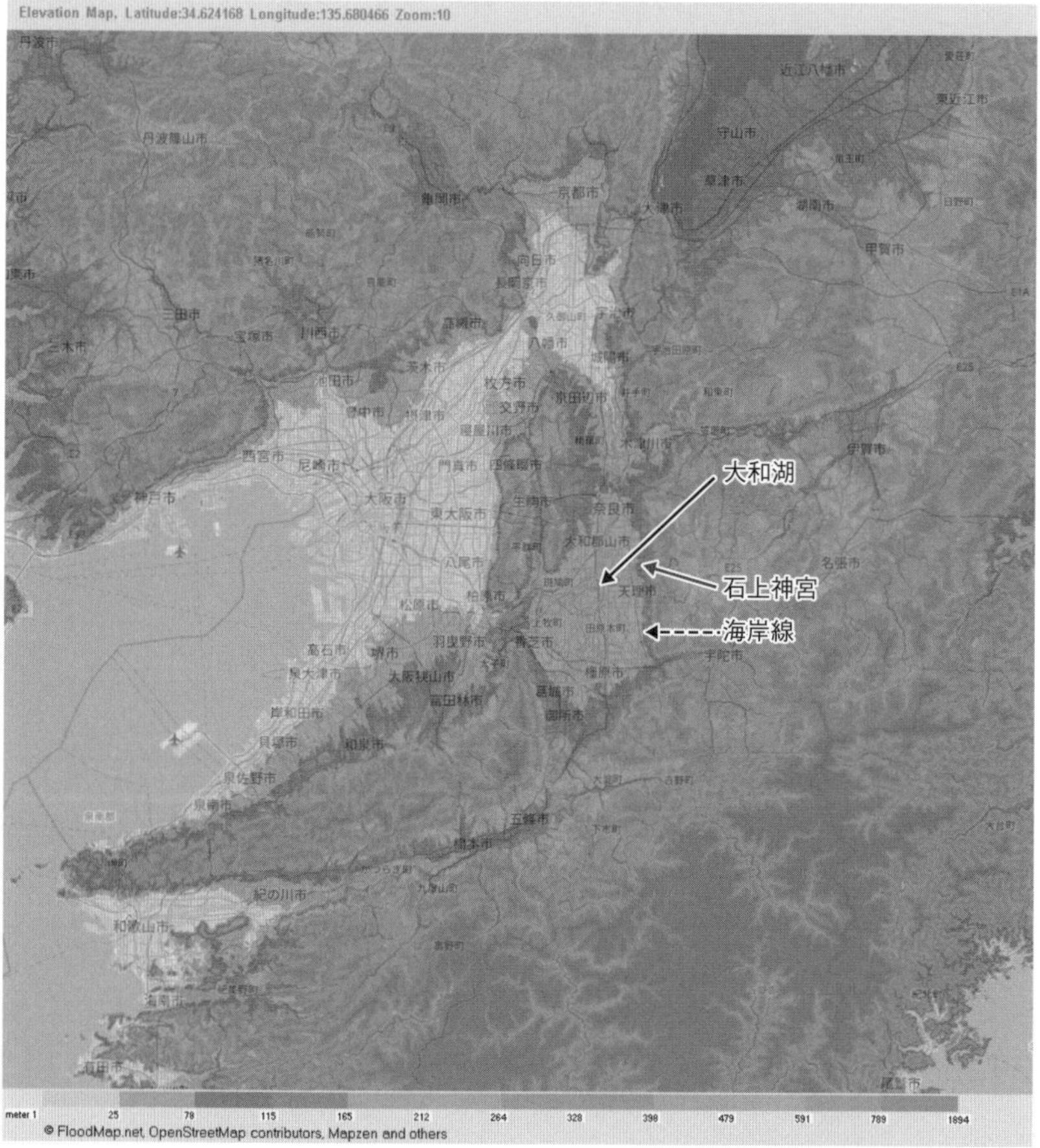

海面が100m上昇したケース（Flood Mapsにて筆者作成）

ちなみに奈良盆地田原本町にある唐古・鍵遺跡からはクジラ、エイ、サメ、タイのほか、内湾にみられるアカニシ貝の骨・殻が出土している（唐古・鍵遺跡ミュージアム『ミュージアムコレクション57』参照）。これもまさに当時奈良盆地が海であり、瀬戸内海に繋がっていたことを示している。

『日本書紀』に記載された記述は、西暦二〇〇年となっている。この三世紀初頭の頃は、中国の史書によると、辰韓十二国ということでまだ新羅としては出来上がってはいない。

もちろん、『日本書紀』の成立は養老四年（七二〇年）とするのが一般的である。したがって、三世紀頃の記述については国名などに後世に成立したものが同一地域であるために使われた可能性も十分に考えられる。

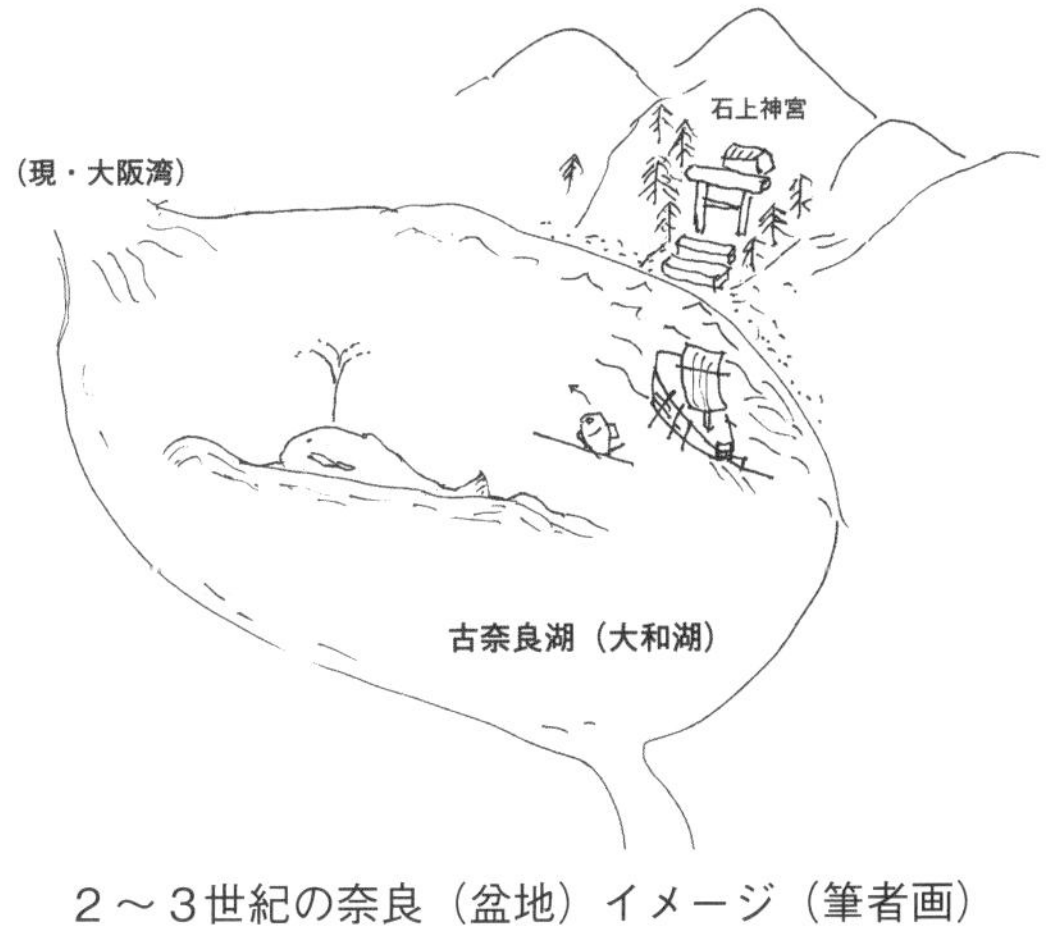

2～3世紀の奈良（盆地）イメージ（筆者画）

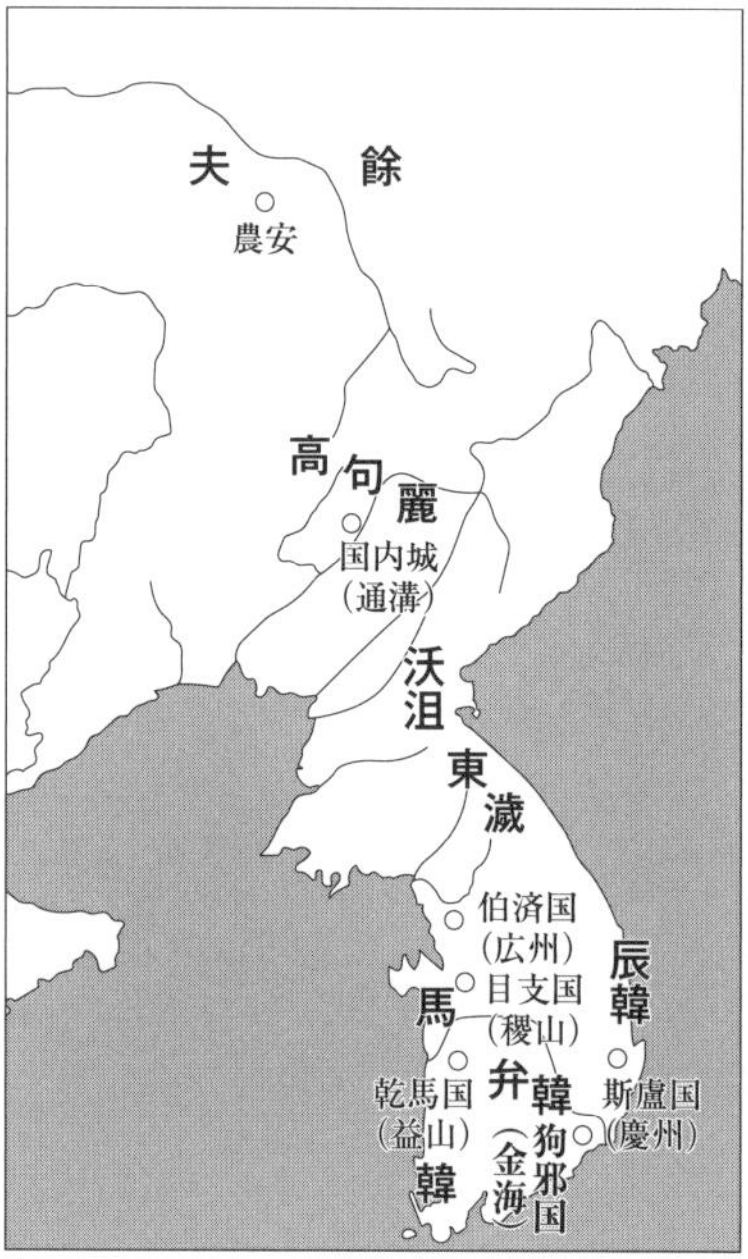

これを考慮すると、先の「神功皇后」の武勇に纏わる国（または地域）がどの辺りに相当するのかはかなり困難である。

しかし朝鮮半島の南部や東南部であることに間違いはないが、新羅において「金・銀など」を持ち帰るべく船に運んだとされる。このことから、新羅と称するのは、右の「狗邪国（金海）」としてよさそうである。

この慶尚道地域の標高は左の地図に示されている（邑名は南加羅）。この地域の標高は二〇メートルであり、大津波・洪水の際には容易に水没することが分かる。

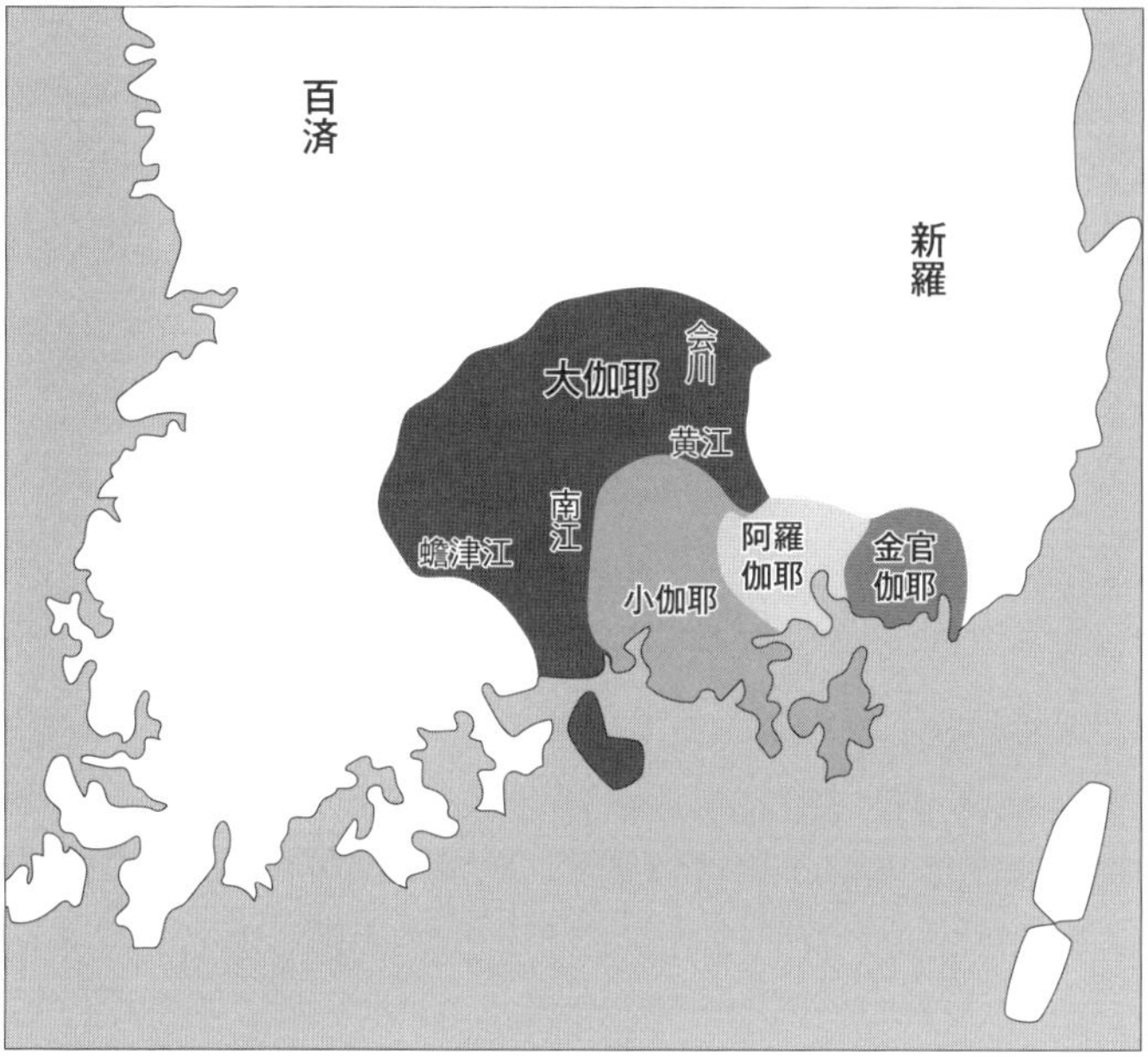

伽耶の範囲

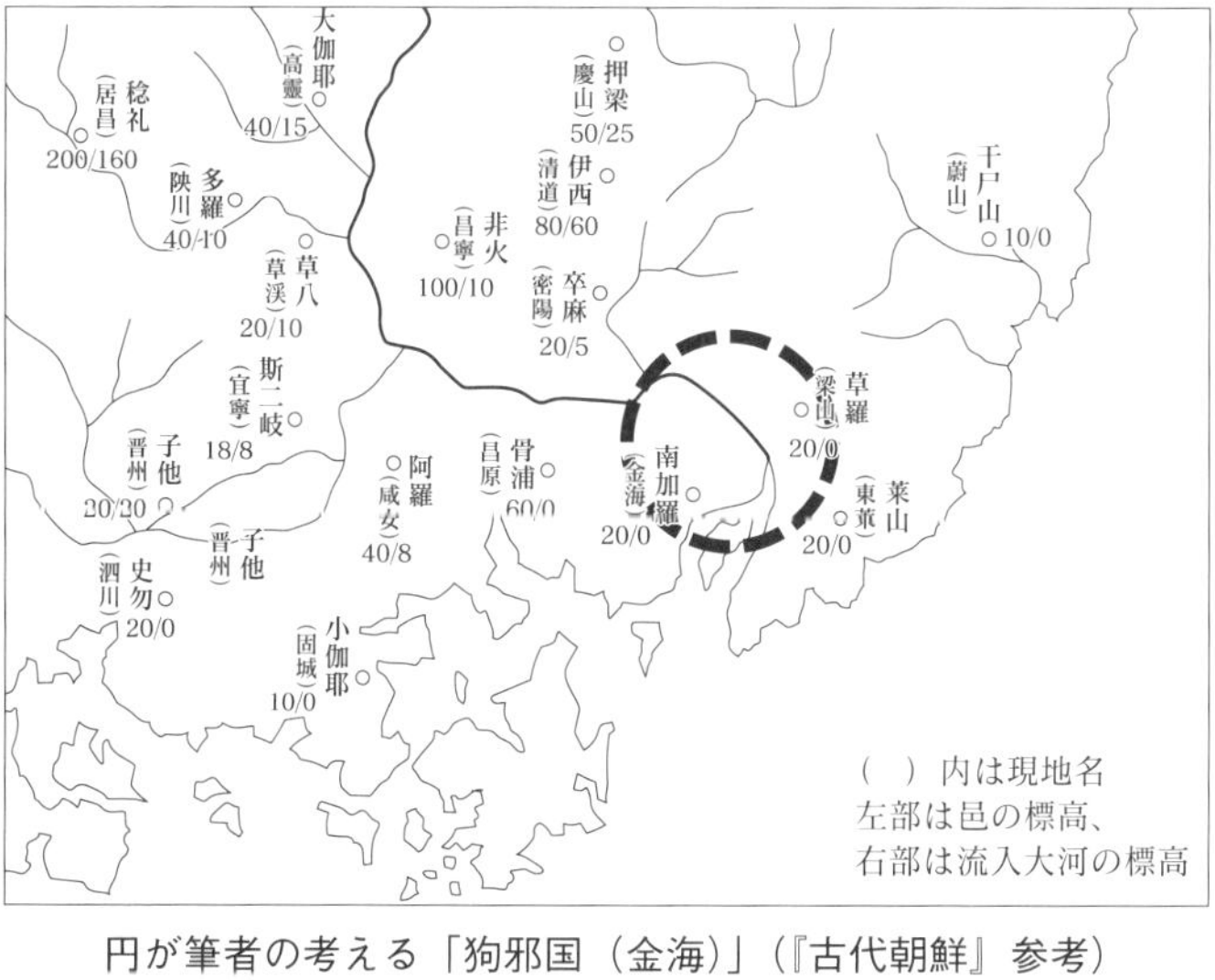

円が筆者の考える「狗邪国（金海）」（『古代朝鮮』参考）

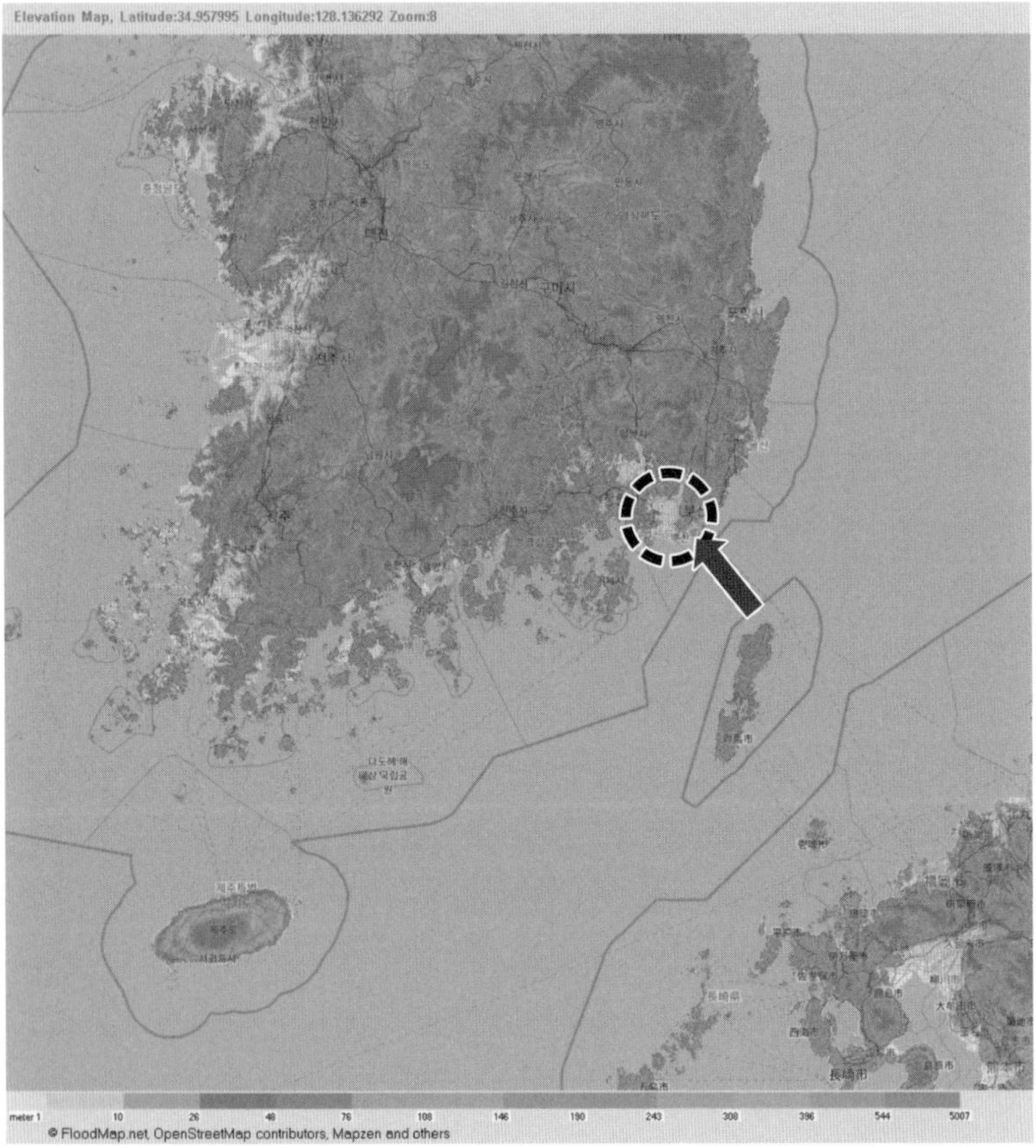

海面が100m上昇した場合、破線円が金海（Flood Mapsにて筆者作成）

6 日本・東アジアの海面上昇と証拠
――洪水地層、弥生高地性集落、朝鮮半島南部

実は、日本の中にも弥生時代末期に、一〇〇メートル近くの海面上昇と思われるいくつかの事実がある。

①紀元０年～二〇〇年頃の大洪水の堆積物地層の発見

②弥生時代に築かれた多数の高地性集落（現在から見ると高地であるが現在こう呼ばれている）

共に、拙著『額田王はペルシャ人だった』（刊行予定）で詳しく紹介してあるのでここでは、概略だけを紹介する。

これらが大洪水の結果として海面上昇が起きたと推定される証拠である。

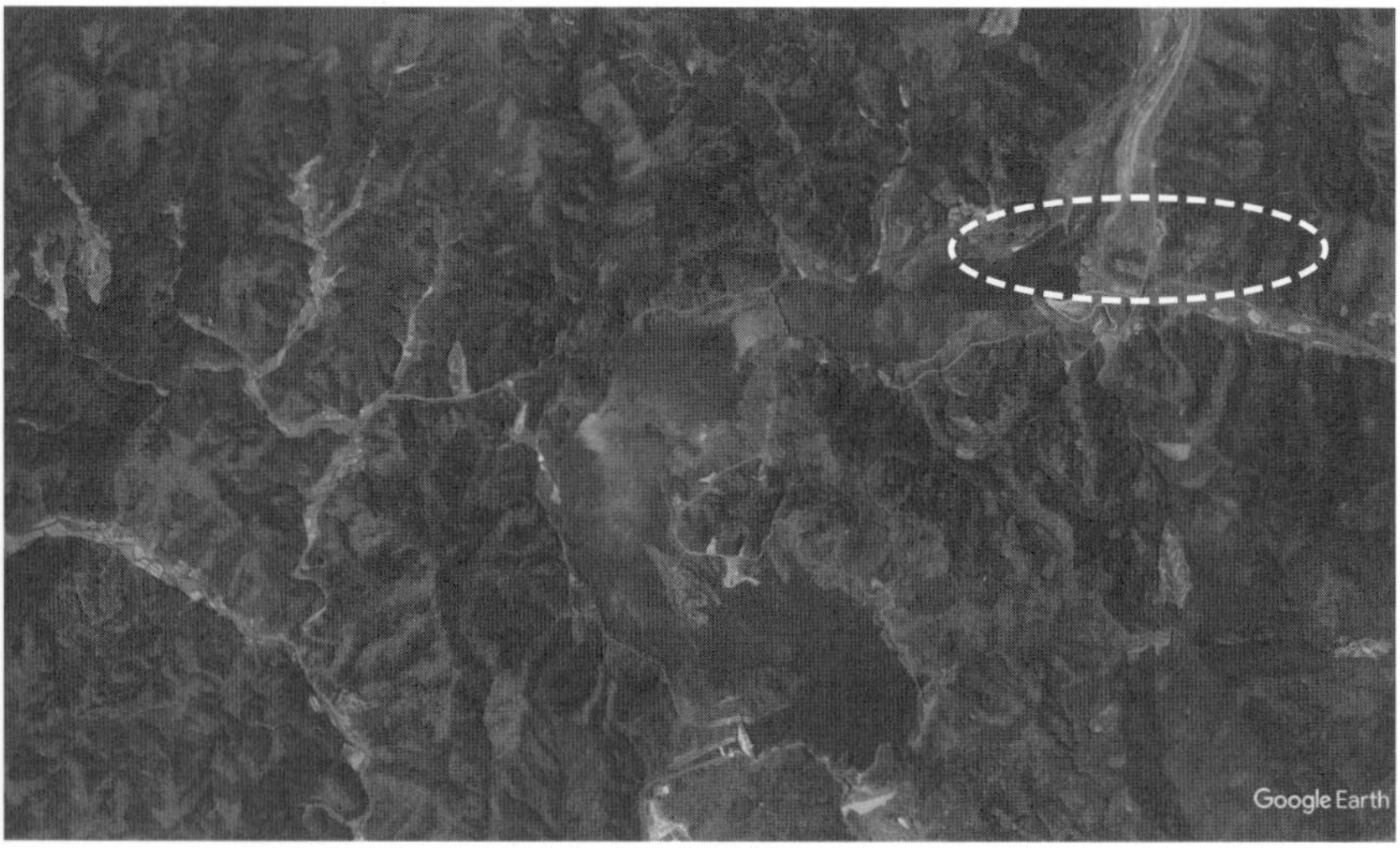
Google Earth

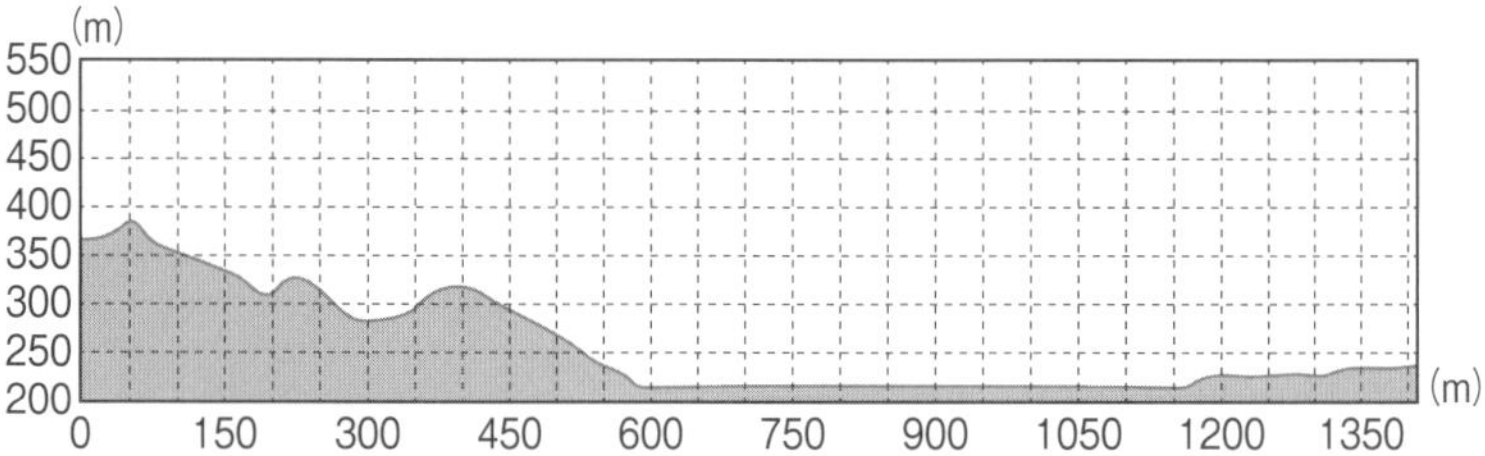
(m)
550
500
450
400
350
300
250
200
0
150
300
450
600
750
900
1050
1200
1350
(m)

久田原遺跡の大洪水跡（岡山県古代吉備文化財センター提供）

①については、驚くほど多くの発掘結果による洪水堆積層が発見されている。中には二メートルにも及ぶ堆積層が確認されているものもあり、その下には、保存状態が極めて良い以前の弥生遺跡が遺されている（吉備・久田原遺跡）。

この遺跡の地域は、標高で二〇〇メートルに相当する山間の吉井川上流の沿岸である。その地域を右ページにGoogle Earthやいくつかの表で示しておく。これらは公開されている資料や報告であり容易にアクセスできる。

これらの説明からは、紀元一世紀から三世紀頃に、その地域の社会全体に大き

跡のある地域	報告書・資料の記載内容
①滋賀県野洲川	・約2000年前 ・大地をえぐるような大洪水 ・60cmの砂礫層 ・琵琶湖の水がどっと逆流した? ・洪水により、社会の変化を産み出した ・服部遺跡（下の年表にある『大洪水』参照）
②岡山県吉備・久田原遺跡	・約1800年前 ・すさまじい土石流であっという間に埋め尽くされた ・壊滅的な打撃を受けた ・砂礫層は最大２mで直径１mを越える大きい岩も含まれる ・砂礫層の下には保存状態のいい縄文と弥生時代の遺跡が存在 ➡注：砂が降り注いだ ・京都大学構内、大阪府遺跡も同時期に大洪水 ・洪水堆積層と下層弥生遺跡（前ページ写真参照）
③唐古・鍵遺跡（奈良盆地）	・四様式時期（弥生時代中期末頃?）頃にムラを覆うような洪水があったのではないか（次ページ表参照）

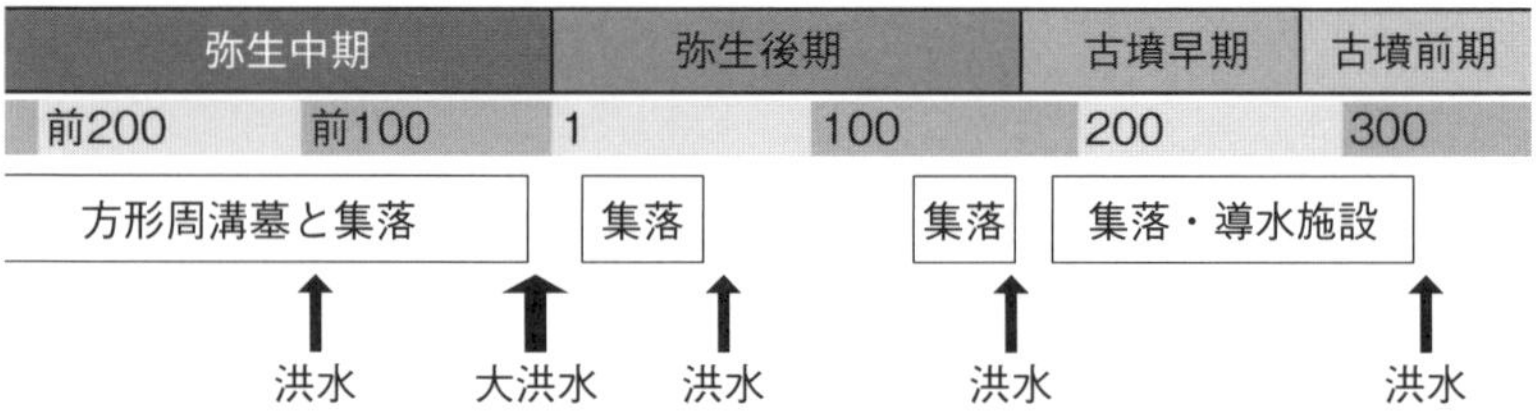

服部遺跡の盛衰と洪水

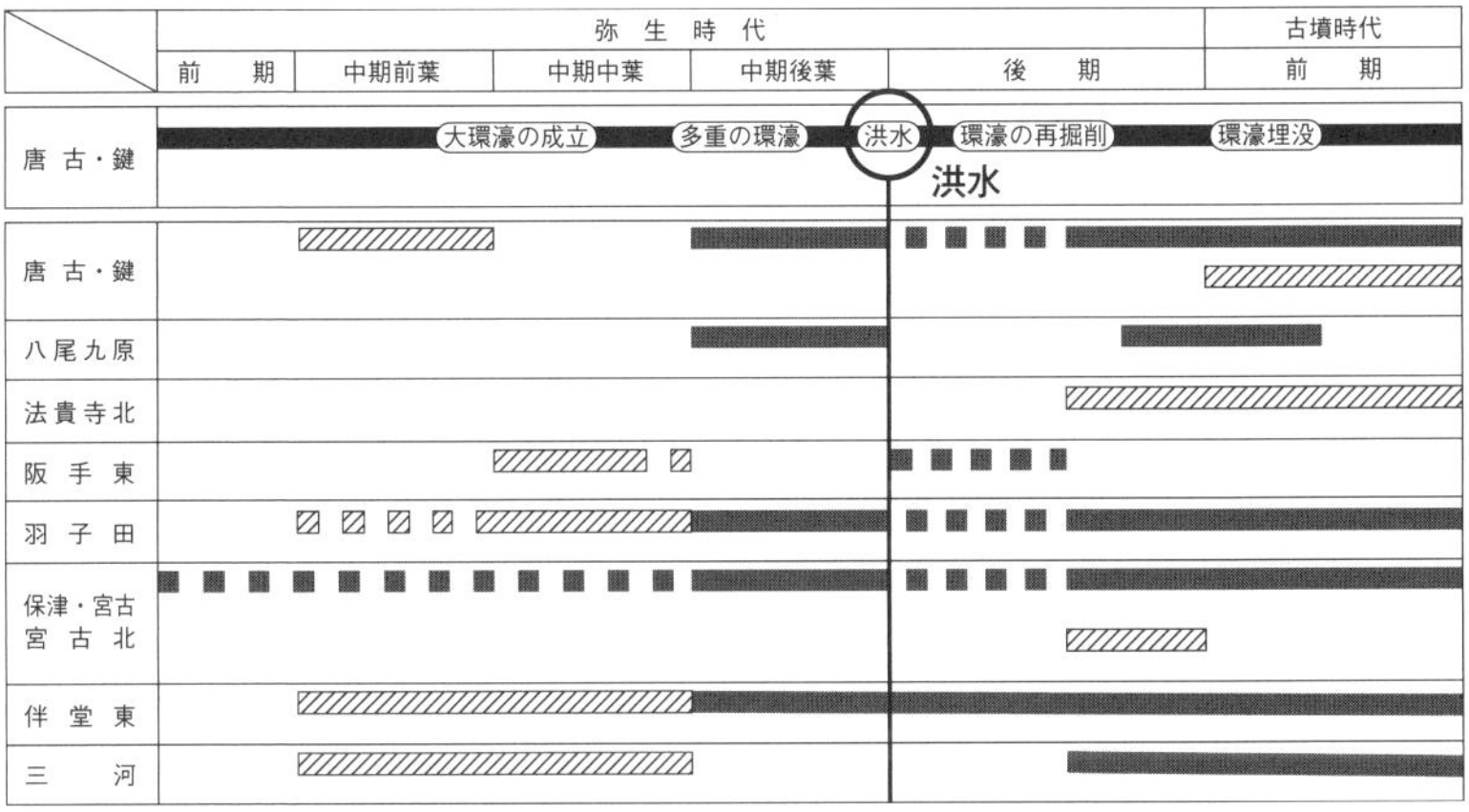

唐古・鍵遺跡と周辺遺跡の変遷　集落ほか　墓

な変化を及ぼしたことが記述され、通常の大雨などによる洪水とは様相を異にしている。

③の弥生時代の「高地性集落」（学会等での呼び名）である。文字通り、弥生時代のある時期に集落が（現在から見て）高地に営まれたという事実である。

どの程度高地であったかは種々の発掘結果を見れば明らかであるが、高いところでは一〇〇メートルを超える山や丘に造られていたのである。

しかもこれら高地性集落の中には、「貝塚」や「漁労具」が集落内や付近に存在していた。これらは、このような「高地性集落」が、「石上神宮」の場合と同じく、海辺、すなわち海岸近くに形成されていた証拠でもある（一部研究者は、低地で採取した貝などの海産物を持って上がった、と主張しているようであるが、特に根拠はない。当時の社会背景として高地に集落を造ることにより防衛したとも）。

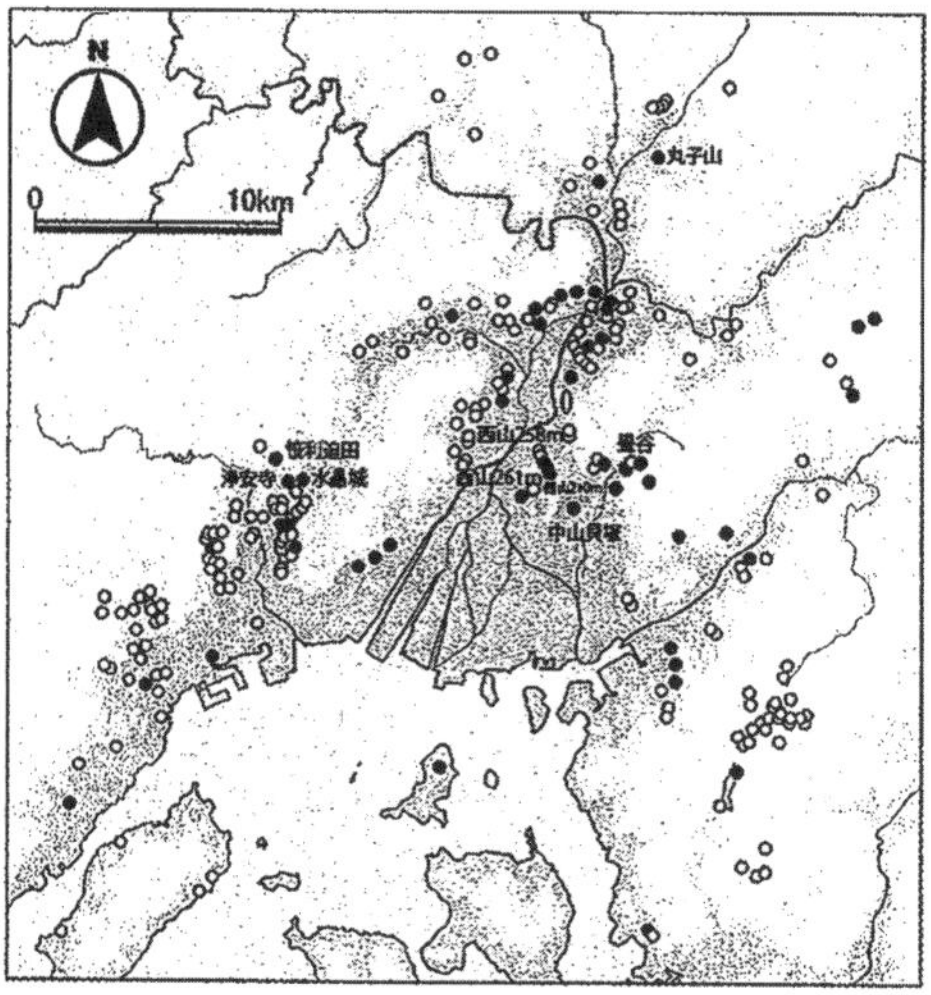

図3　広島湾沿岸域の弥生遺跡分布図
●貝あり　○貝なし
「貝塚・貝層の高所形成を巡る生活集団の性格」
（石丸恵利子著 古代学協会誌）

「高地性集落」の存在や発掘に関する報告は数多くあるが、『額田王はペルシャ人だった』に詳しく述べているので、ここでは一部のみ掲載する。

上に高地性集落の例を示す。広島湾の沿岸域では内陸部に貝が発見される遺跡が数多く存在していた。

右の写真は会下山《えげのやま》遺跡（芦屋市三条町）の写真である。鉄製釣針、イイダコ壺などの漁労具が出土している。

会下山遺跡（Picta / PIXTA）

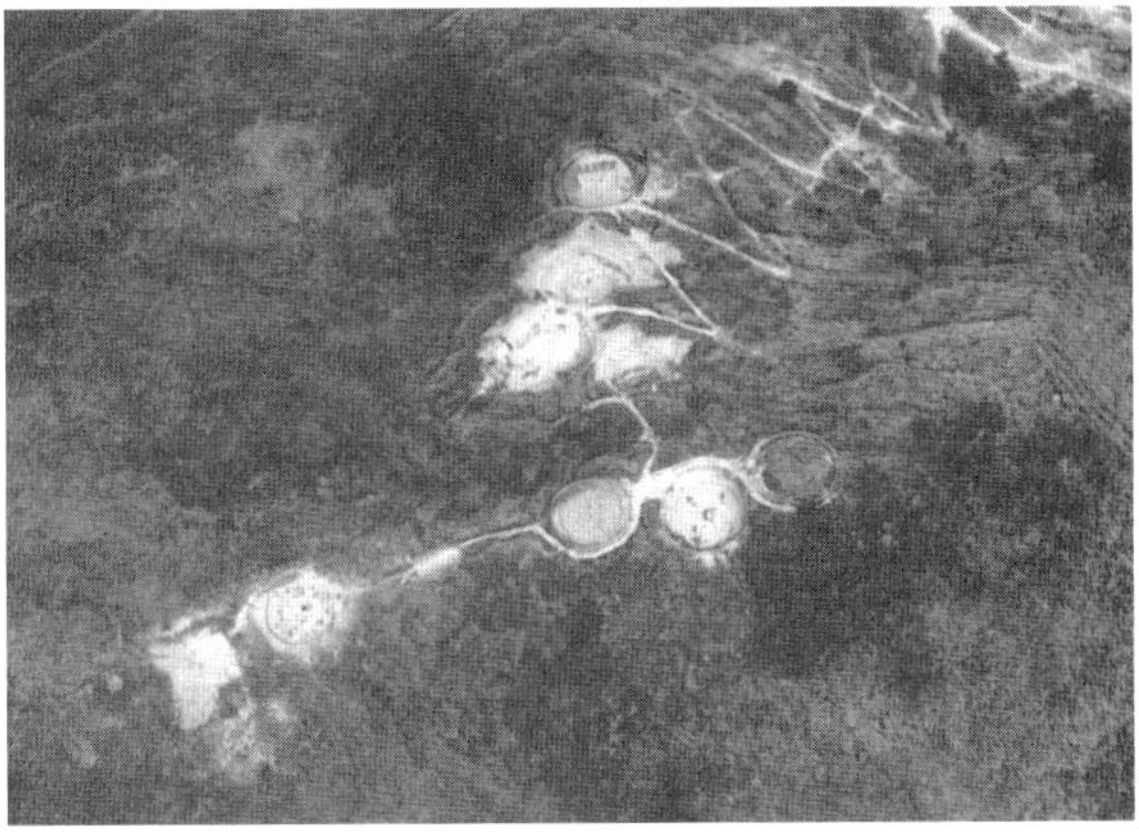

上空からみた会下山遺跡（昭和30年代）
（「国指定史跡　会下山遺跡」芦屋市教育委員会 社会教育部 生涯学習課）

これら「弥生時代高地性集落」に関する論文発表やシンポジウムも開かれており、容易に調べることも可能である（『古代学協会』など）。

もう一点は、朝鮮半島南部に近い九州北部について海面上昇を弥生時代後期の「高地性集落」の存在地（「北部九州における高地性集落」前田義人著　古代文化）から推定し、半島南部についての海面上昇の確認も行ったが同様な結果であり、日本列島の近畿のみならず、中国地方や九州北部についても同様の海面上昇が存在していた事実を確認した。

朝鮮半島南部についても、当時の海面上昇が確認されている。

この朝鮮半島における海面上昇は前章で紹介した『日本書紀』の記述の通りである。実際、古代の「伽耶」地方（七九ページ参照）の例が上げられる。

この海面上昇を示すものとして、金海貝塚がある。現在の海岸線からは高地にある場所で、海抜四〇メートルほどである。この貝塚は、鳳凰台の東麓の東西に長いひょうたん型の小さな丘陵の上に位置している。規模は東西の長さ一二〇メートル、南幅三〇メートル、高さ六メートル程度であり、自然岩石に露出された中央部二箇所の貝塚のほか、ほとんどの貝塚は草で隠れており、東と南は木々で茂っています。貝殻は丘陵の頂上部を中心に、南と西に集中的に厚く積もっているが、東と北の頂上部は薄く積もっています。ここは一九〇七年以降、日本人によって発掘されている。

貝塚断面の様子は鳳凰洞遺跡貝塚展示館で見られるようだ。

九州大学「史淵」（一九九四年三月二五日）によれば、

「……扇状地先端に位置する鳳凰台と呼ばれる海抜四〇メートルほどの独立丘陵の東・西・南側の縁辺の斜面に貝塚を残している。かつて東南方に舌状に伸びた丘陵の先端付近で竪穴式住居跡が検出されていることから考えると、当時は、丘陵の頂上部が生活空間であったと思われる。そこから東方に八〇〇メートルほど離れたところの山裾でも、数戸の住居群からなる府院洞貝塚が知られる」

この様子を同誌に掲載された地図で見ると次ページのようである。首露王陵の南に貝塚の位置が示されている。地図には等高線が示されているので、この貝塚付近の標高を読み取れる。

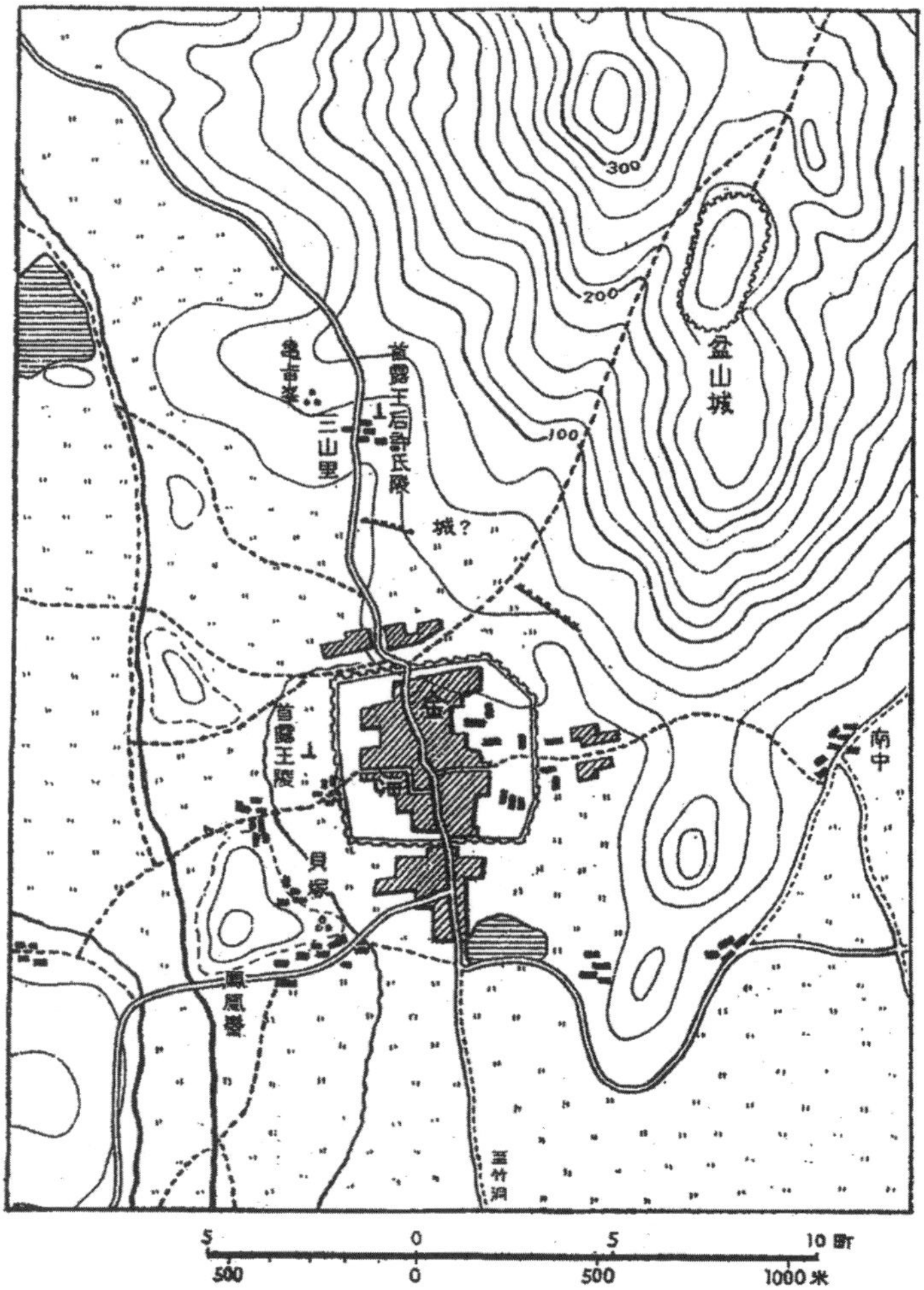

第3図　大正9年当時の金海の遺跡群

『大正9年度古蹟調査報告　第1冊』（国立国会図書館デジタルコレクション）

東亜日報（二〇二二年二月一四日）「金官伽耶の王宮、高地に建てられ威容を誇示」によれば、当時の王宮についても、「四世紀の金官《クムグァン》伽耶《カヤ》の王宮が民の居住地からは見えない海抜三〇メートルの高地に建てられたことが地理情報システム（GIS）の研究で確認された」としている。

海面位置は時間と共に変化しているものであり、時代によって異なるものである。ここでの金官伽耶遺跡の時代は、四世紀と推定されているので、先の『日本書紀』「石上神宮」の記事とは一〇〇年以上の差があり、海面の高さが異なっていることに留意する必要がある。

我々はややもすると現在の海面の高さが基準となるような錯覚を持つが（例えば、変化する海面を基準にした『海抜』という計測基準は曖昧）、時間、時代と共に変化するもので、歴史を見ると、一〇〇メートルという単位の変化が生じてきたという事実を前提に考えなければならないということを示している。

洪水（海面上昇）の長期の時間的な変化について見ることのできる例を「弥生時代

高地性集落」の変遷を示す研究結果を示しておく。

では、日本におけるこの「洪水」の出現と変化を見てみる。

標高

200m以上			▲▲▲▲	▲ ▲▲▲▲▲▲	▲ ▲▲▲▲▲▲
100m以上			▲▲▲▲	▲▲▲▲▲	▲
90m					□
80m			□	□	□
70m			□□	□□	□
60m			□□□□	□□□□	□□□□□
50m		□	□□□□□□	□□□□□□	□□□□□□ □□□□□□
40m		□	□□□	□□□□	□□ □□□□□□ □□□□□□
30m		□□	□□□□□	□□□□□□	□□ □□□□□□ □□□□□□
20m	□□□	□□□	□□□ □□□□□□	□ □□□□□□	□□ □□□□□□ □□□□□□
10m	□□□□ □□□□□□	□□□□ □□□□□□	□□□□□□ □□□□□□□	□□□□ □□□□□□	□□□ □□□□□□ □□□□□□
5m	□□ □□□□□□	□ □□□□□□	□□□□□□	□□□□	□□ □□□□□□
0m	□□□□□ □□□□□□	□□□ □□□□□□	□□□ □□□□□□	□ □□□□□□	□□ □□□□□□ □□□□□□
年代区分	～BC50	0	100	200	300
		BC	AD		

▲　山地、山脈　　□　洪積段丘（台地・丘陵）

大阪府近郊弥生時代高地性集落出現時期と標高

（「弥生時代の集落立地」参考）

右図は、大阪府近郊の弥生時代高地性集落の出現を時期と集落が造られた高度（標高）の変化で著したものである。

紀元一世紀に一〇〇メートル以上の高地に突如として集落が造られ始めている。これらは三世紀頃にも引き続いているが、三世紀には、再びこれより標高の小さい低地の集落数も増加している。

要は、

★紀元一世紀に標高一〇〇メートル以上の高地に集落を形成

★紀元三世紀には高地も増加する一方、低地の集落が再び増加を始める

（四世紀の伽耶地方で三〇メートル程度の海面上昇があった事実とも符合する）

ということになり、海面が急激に上昇した後、また下降に転じたことを表し、

「紀元後に大洪水が発生した」

という事実を物語っている。注目すべきは、二〇〇メートルを超える高さにも出現していることである。海面も洪水の初期から徐々に変化して最高では、二〇〇メートル近くにも及んでいた可能性がある。

この洪水は東アジアに広がる大洪水であり、固有のものとして識別するために、弥生時代後期に起きた、

『ツダの洪水』

と命名して「ノアの洪水」の如く呼称として定義しておく。

以上を勘案すると、おおまかな『ツダの洪水』の時間経過や海面上昇の変化を知ることができる。当時の中国・朝鮮半島・日本の状況から、

- 後漢光武帝からの、金印は志賀の島において使われていた初期においてはまだその辺りの海面は大きくは上昇していなかった
- 「日本書紀」に記述された西暦二〇〇年頃には一〇〇メートルほど上昇していた
- 四世紀には朝鮮半島で三〇メートル程度の高さに王宮が建設されていた
- 国内の弥生時代の遺跡の存在した標高（海抜）の経過が判明した

以上のおおよその条件から海面上昇の経過を知ることができる。その時間経過の推

定図は、本章の最後で示している。

なお筆者は、この紀元頃の海面上昇はすでに紹介した日本海の成り立ちと関係しているのではないかと推定している。

これは紀元頃、「惑星（M）」の「水・氷・砂」の塊が日本海大和堆付近に衝突（ディープ・インパクト）したのではないか？　ということである。

日本海については、先にも述べた通り、「日本海というひとつの縁海《えんかい》が、どのような過程を経て生まれ育ったか、という問題の解明は、現代地球科学にとって第一級の課題である」（アーバンクボタ、No.12「日本列島の地殻」日本海と大和堆）とされており、本書に述べたディープ・インパクトが本課題への端緒を与えることも考えられる。筆者は門外漢であり、これ以上は言及しない。今後の研究にも期待したい。

次ページの図は日本海の海底地形を表している（「気象庁・日本海海洋気象センター」資料より）。大和堆付近は衝突時に生成されたダブルクレータの一部とも推定されるが、定かではない。

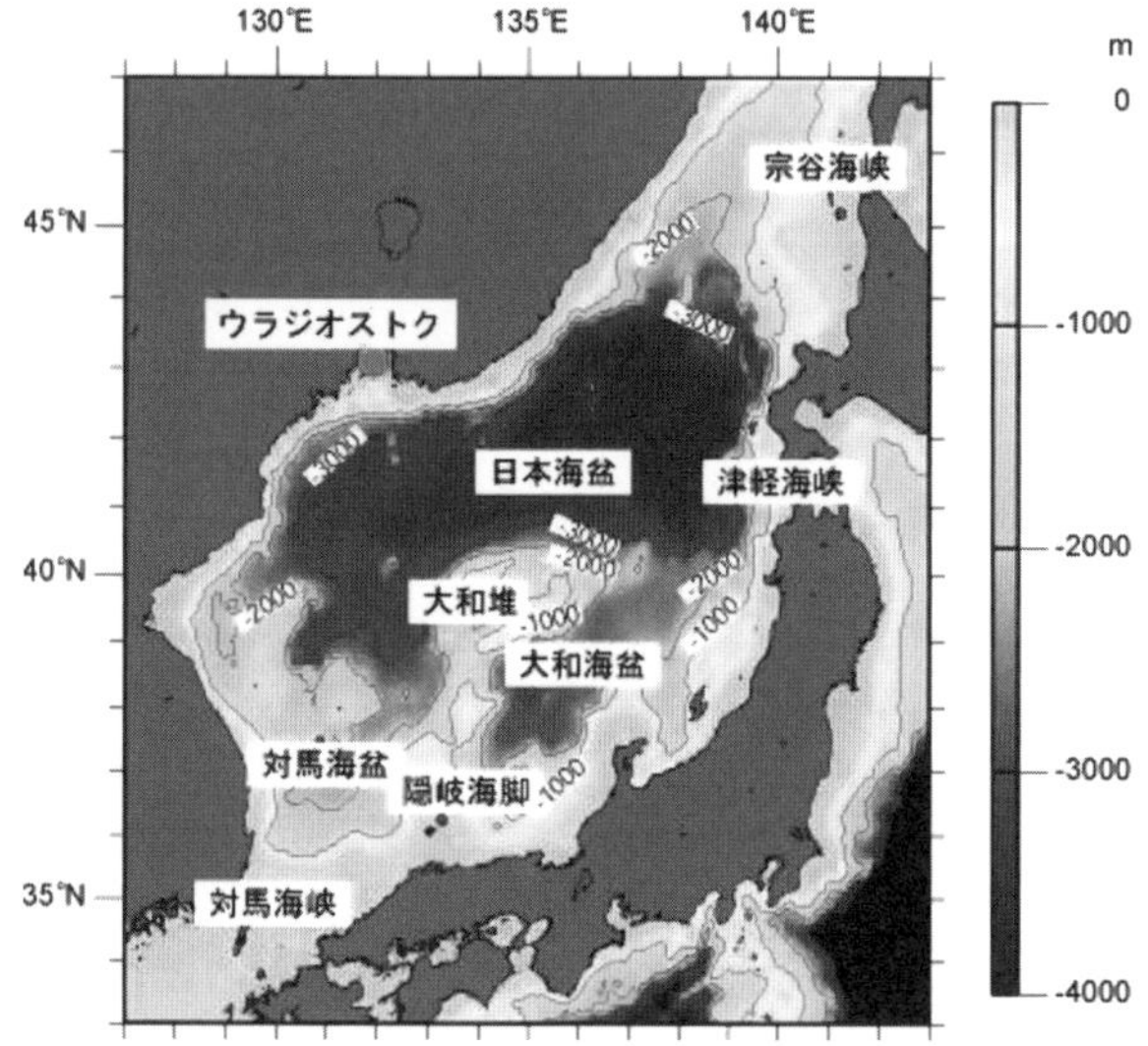

ちなみに高橋氏の説を基に液状の水・氷片・砂の塊が（現在の）日本海付近に衝突したとすると、液体の状態とは言え、衝突自体は、よく言われる「ウォーター・ハンマー現象」に近く、衝撃自体は瞬間的に固体の衝突と同じ影響を及ぼすと想定される。

その結果、隕石衝突で通常生じるクレーターが生起される。規模の大きい場合は、多重リングクレーターとなる。これは、現在の日本海の海底に見られる「大和堆」や海底の状況とも一致する。

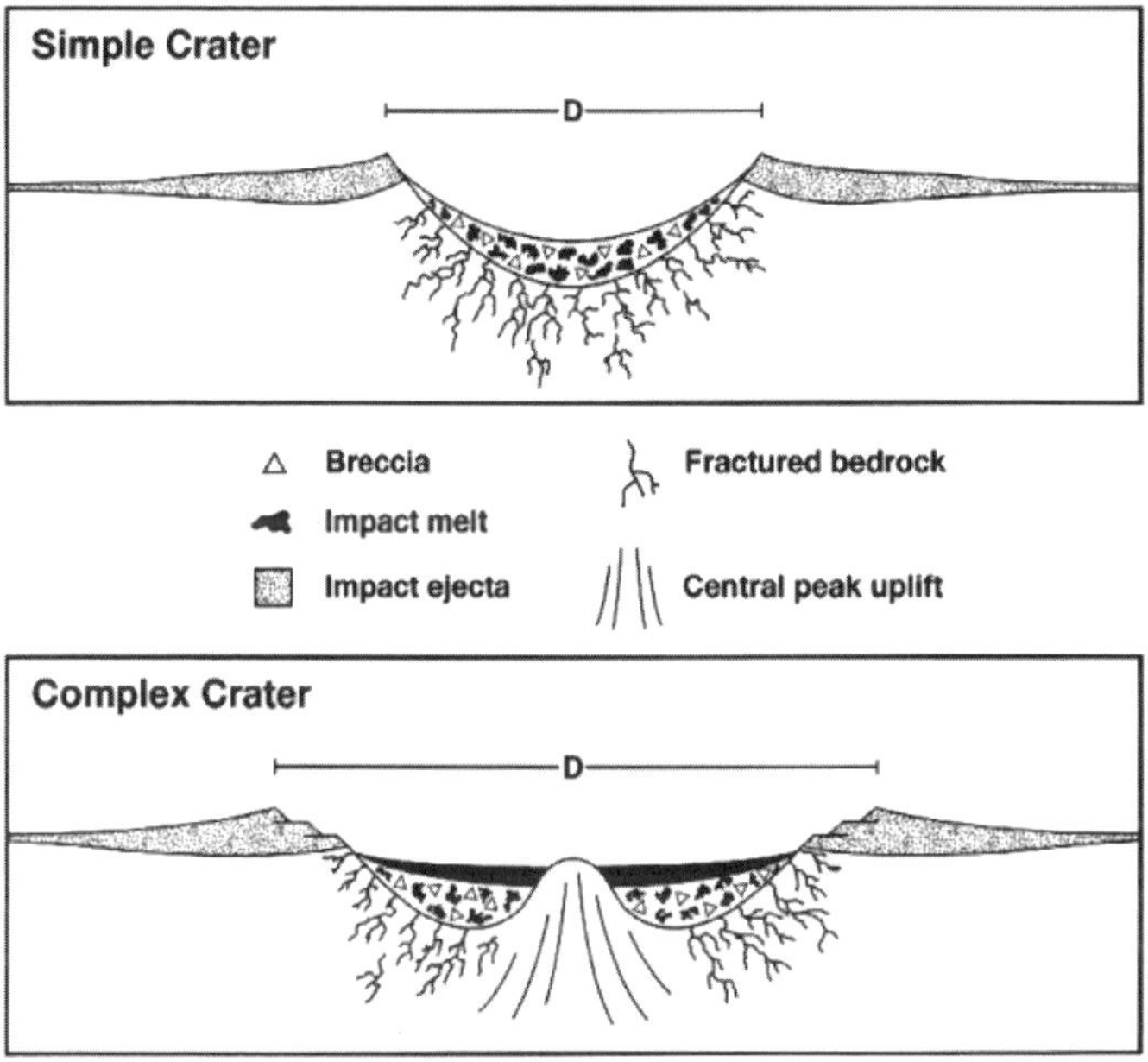

Simple and complex crater structure.
(http://craters.gsfc.nasa.gov/assests/images/craterstructure.gif)

左上図がエネルギーの小さい場合、下図が大きい場合のクレーター様式である。

東尋坊

さらに鳥取砂丘や能登半島の東尋坊に見られる「柱状節理」の生成の要因とも推定される。

筆者が鳥取市にある弥生時代から古墳時代の青谷上寺地遺跡展示館を訪れた際に、山田副館長から鳥取砂丘に関連して話を伺った。
・この辺り一帯は現在の鳥取砂丘よりは広範囲な地域で砂地であった。その後埋め立てて住宅地などに変わり、現在のように一部だけが砂丘と呼ばれている。
・二〇〇年にわたりこの地に住んでいるが、伝承として「一夜で砂山になった」と聞かされた。

長期にわたって運ばれた砂によって砂地・砂丘が形成されたというものではなく一挙に砂が襲来して地面を覆ったという可能性を示しており高橋氏の砂漠誕生の説にも

近い。ちなみに、柱状節理は溶岩流および火山灰流凝灰岩（溶結凝灰岩）の冷却や、一部の浅い火成貫入で起こりうるものである。堆積岩が近くの熱いマグマによって熱された時にも稀に起こりうる。

現在の日本海の地質から直接的に東尋坊の柱状節理を説明し得る論拠はない。また能登半島・東北・北海道地方に沿った日本海に断層が多く存在することも何かを示すものではないだろうか。

次に洪水による砂礫の堆積によって起きたかも知れない事象について言及しておく。

［紀元五七年］
後漢・光武帝より下賜された

★国宝・志賀の島金印『漢委奴国王』

その発見場所とされる九州福岡県志賀の島である。その謎も「大洪水」の海面上昇によって砂中に埋没したとも考えられるのである。

模造「漢委奴国王」金印／ ColBase（https://colbase.nich.go.jp/）

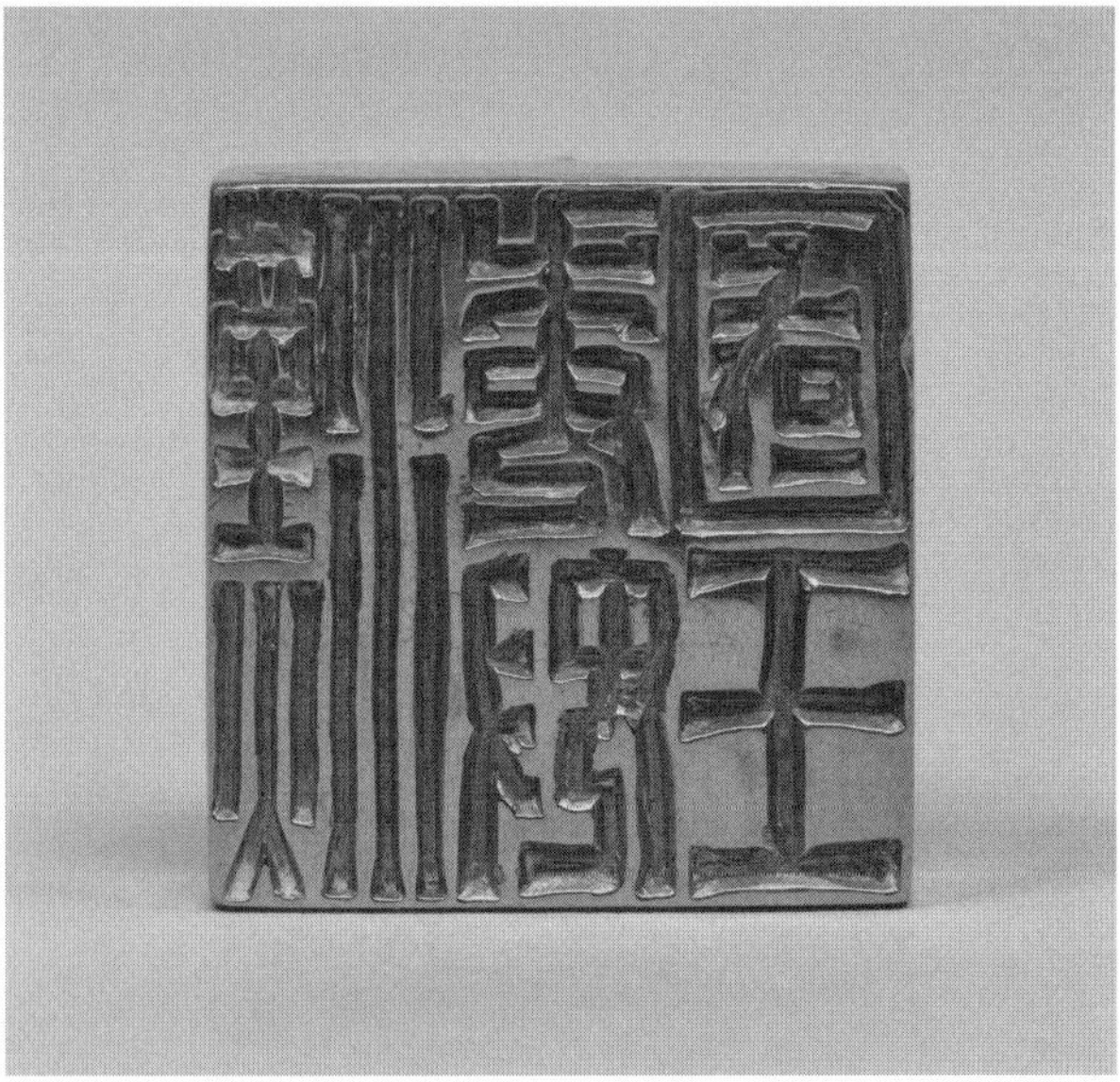

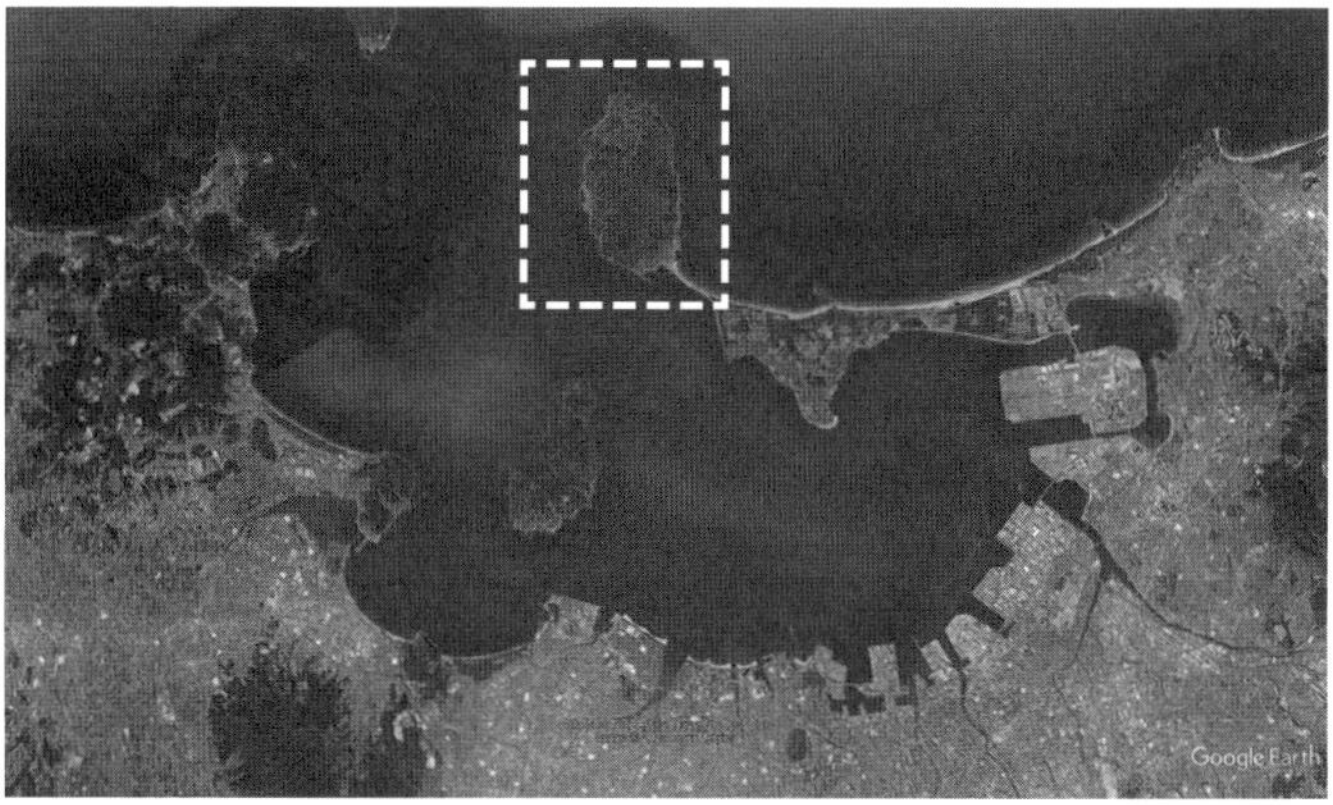

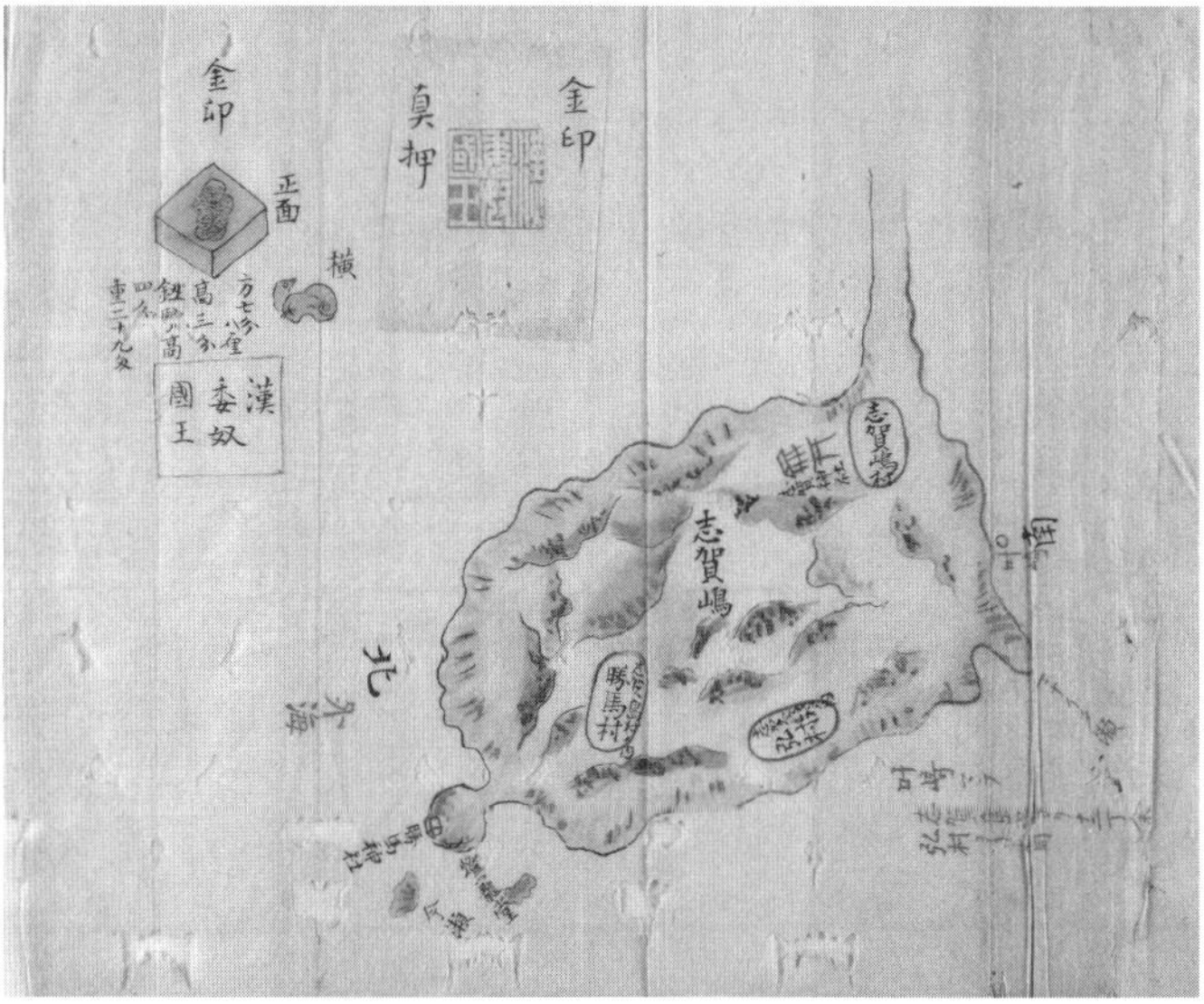

「金印弁・金印弁或問」亀井南冥
（福岡市博物館所蔵　画像提供：福岡市博物館／ DNPartcom）

志賀の島は、博多湾入り口にある島である。丁度天然の「港湾」に入るための「管理事務所」のようなものを想定できる。博多湾は、外洋である玄界灘からのある意味「国際港」でもあり、入船・出船が管理されて、その印として用いられたが、後の洪水や海面上昇で砂地に埋没したものと推理される（下はイメージ図）。

ここで追加しておきたいのは、同様に砂中に埋没していた、銅鐸・銅剣である。松帆銅鐸（淡路島）や、出雲荒神谷で発掘された銅鐸・銅剣も同じく類推可能である。

金属製品がこのように水分を多く含む土中や砂中に長期存在している場合、保存状態が非常に良い場合が多い。これは空気（酸素）に触れることが少なく、劣化（酸化）現象が起こり難いことが挙げられる。

もう一点、隕石よりも規模の大きな「小惑星衝突」（ここでは液状のものも含め）と気候変動の関係につ

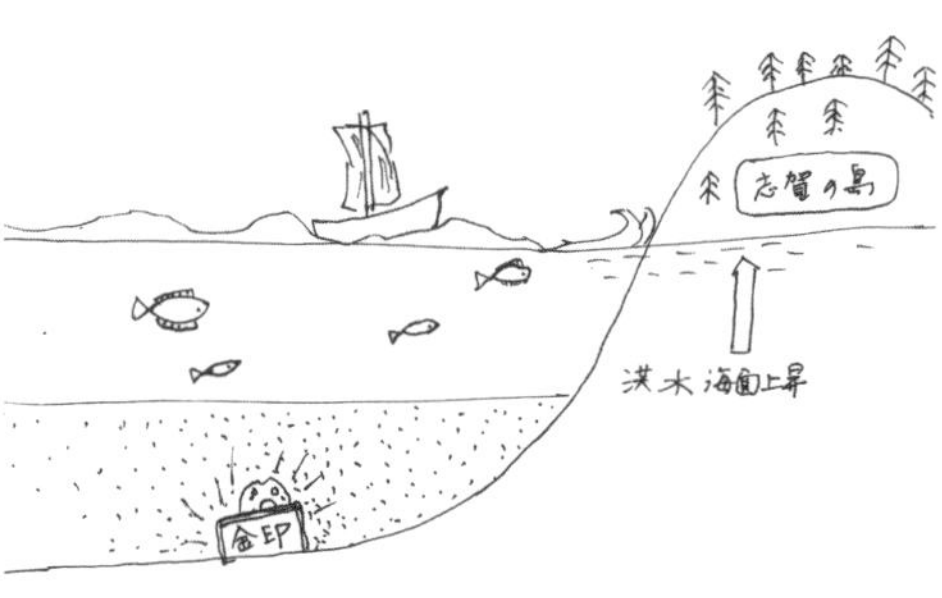

洪水堆積砂礫に埋没した金印（筆者画）

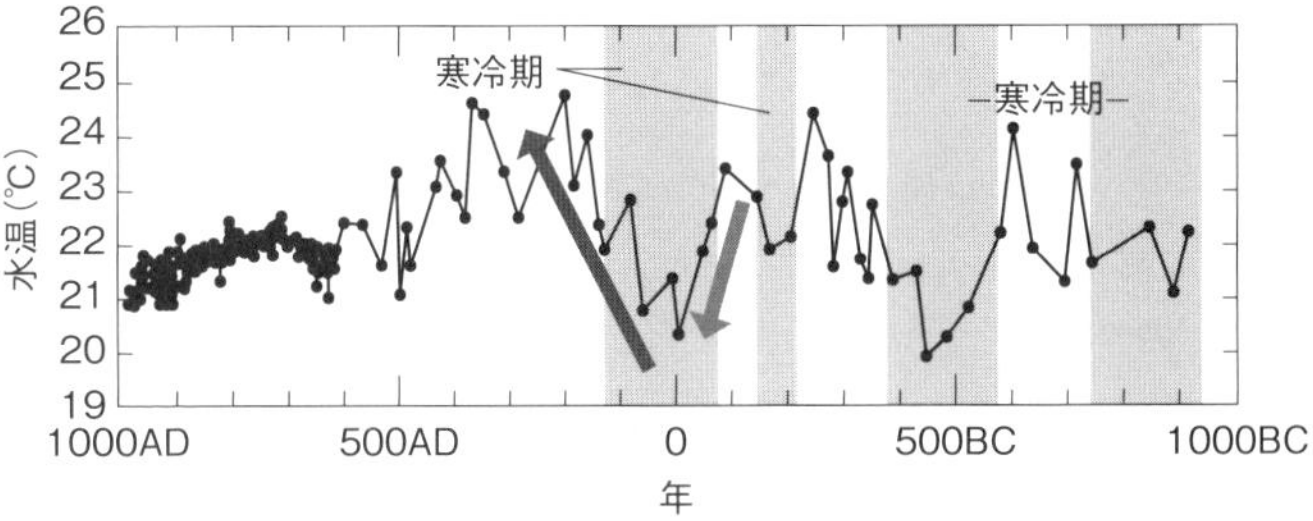

東京湾における水温変化（『気候変動と「日本人20万年史」』参考）

いて述べておく。

小惑星の衝突直後、地球には（核）の冬に続く激しい温暖化という強烈なワンツーパンチに見舞われるとされている（National Geographics）。

左のグラフは、紀元前一〇〇〇年から紀元一〇〇〇年の間の東京湾における海水温の変化を示したもので直接に気温の変化を示したものではないが間接的に気候の変化を見ることができる。このデータは広島湾や黄海から得られたデータからも確認されている（『気候変動と「日本人20万年史」』）。

紀元０年付近で海水温の急激な低下と急激な上昇があったことが判明している。これが先に述べた衝突現象に起因する可能性も示唆されている。もちろんその場合は液状のものが地球に衝突した場合に当たる。

時期	縄文晩期		I期		II期		III期		IV期		V期		VI期		布留式期	
標高	50m未満	50m以上	50m未満	50m以上	50m未満	50m以上	50m未満	50m以上	50m未満	50m以上	50m未満	50m以上	50m未満	50m以上	50m未満	50m以上
淡路市	4	0	8	0	5	0	8	0	3	1	22	92	8	4	7	0
洲本市	2	0	8	0	7	0	5	0	14	0	15	16	5	2	4	0
南あわじ市	1	0	11	0	11	0	11	2	25	4	34	8	27	3	12	0

表２　各時期における標高別遺跡数の変化

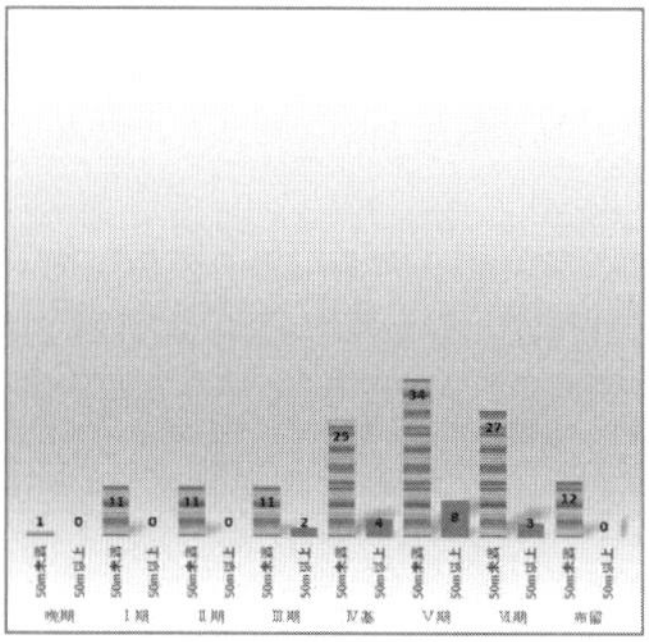

図５　南あわじ市における標高別遺跡数の変化

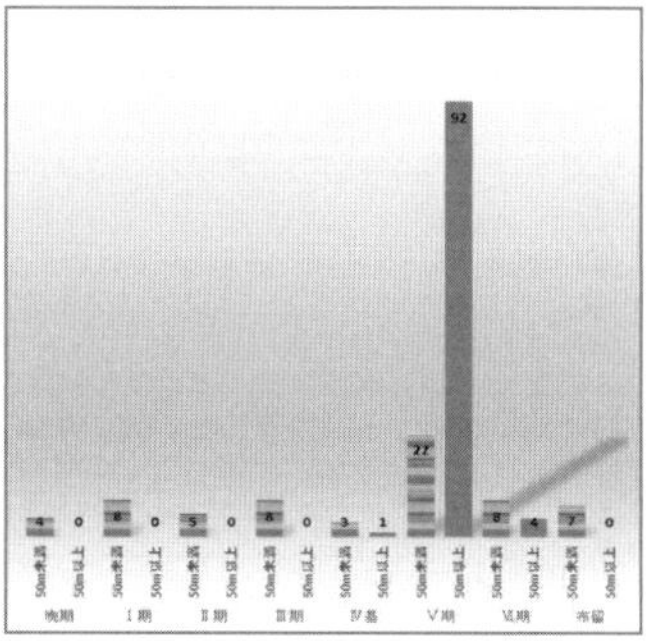

図６　淡路市における標高別遺跡数の変化

↑
Ｖ期

それでは、紀元一世紀から四世紀に生じた大洪水による海面の上昇の時間的経過の推測に試みる。二例ほど取り上げる。

上は、淡路島における弥生集落遺跡の時期と標高を表したものである（淡路市社会教育課「舟木遺跡発掘調査報告書」より）。

明らかに淡路市においてV期における五〇メートル以上の標高に築かれた集落数が急増している。V期はおおよそ、一世紀〜三世紀頃に相当する。なお、舟木遺跡は一五〇メートルの標高にあるが、集落跡からは漁労具が発掘され、イイダコ漁に使用されたと思われる蛸壺が多く見つかっている。

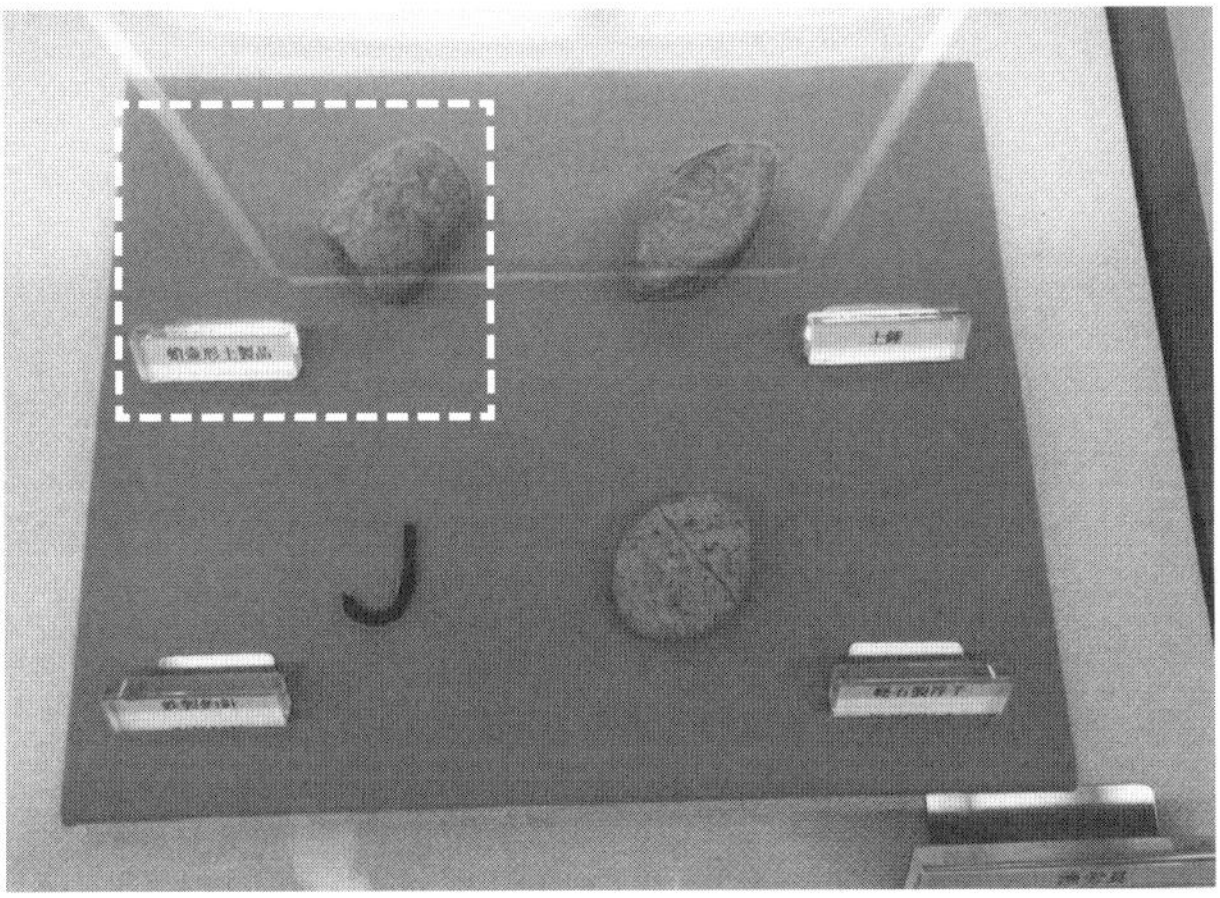

イイダコ壺（南あわじ市滝川記念美術館玉青館／筆者撮影）

左は九二ページと同じ大阪府域全体の集落遺跡について示したものである。
ここでは紀元０年～一〇〇年に一〇〇メートル以上の集落が急増し始めている。紀元二〇〇年以降には、少し低地にも集落数が増加している。

標高

200m 以上			▲▲▲▲	▲ ▲▲▲▲▲▲	▲ ▲▲▲▲▲▲
100m 以上			▲▲▲▲	▲▲▲▲▲	▲
90m					□
80m			□	□	□
70m			□□	□□	□
60m			□□□□	□□□□	□□□□□
50m		□	□□□□□□	□□□□□□	□□□□□□ □□□□□□
40m		□	□□□	□□□□	□□ □□□□□□ □□□□□□
30m		□□	□□□□□	□□□□□□	□□ □□□□□□ □□□□□□
20m	□□□	□□□	□□□ □□□□□□	□ □□□□□□	□□ □□□□□□ □□□□□□
10m	□□□□ □□□□□□	□□□□ □□□□□□	□□□□□□ □□□□□□□	□□□□ □□□□□□	□□□ □□□□□□ □□□□□□
5m	□□ □□□□□□	□ □□□□□□	□□□□□□	□□□□	□□ □□□□□□
0m	□□□□□ □□□□□□	□□□ □□□□□□	□□□ □□□□□□	□ □□□□□□	□□ □□□□□□ □□□□□□
年代 区分	～BC50	0	100	200	300
		BC	AD		

▲　山地、山脈　　□　洪積段丘（台地・丘陵）

大阪府近郊弥生時代高地性集落出現時期と標高
（「弥生時代の集落立地」参考）

以上から事実関係を整理すると、

- 一世紀から海面の上昇が始まった
- 紀元五七年に下賜された金印が暫く使用された
- 二世紀には標高一〇〇メートル以上、二〇〇メートル近くの集落数が多い
- 三世紀には低地側にも集落ができている
- 四世紀には朝鮮半島南部伽耶地方で海面が現在より三〇メートルほど高いことが判明した。

また、最近の報告によれば、朝鮮半島南部において、「二〇〇〇年前の古代国家登場時韓半島の森が減少」（東亜日報二〇一三年四月一九日）の中で、農地開墾が比較的容易な南・西海岸の低地帯は、森の減少が一層速かった。『三国史記』にも、「百済王が二月に号令を出し国の南側の州・郡に初めて田んぼを作らせた」ことが記されている。より高地の森を伐採して農地を確保したのであろう。水没対策の一環であったと推測される。

また四世紀頃の木製の伽耶船が日本だけに自生する杉も材料として用いて造られた

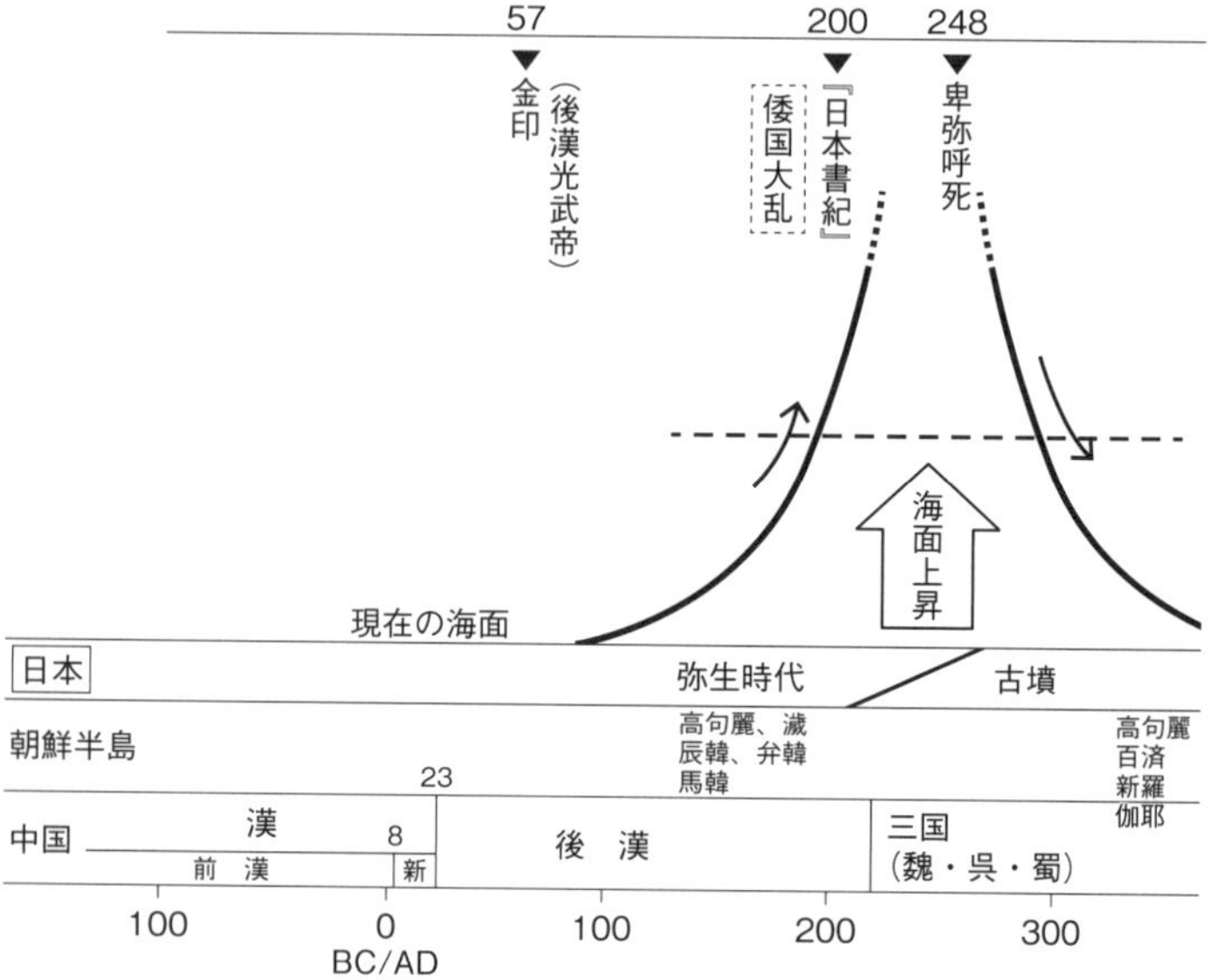

ことが判明している（『聯合ニュース』二〇一四年一月九日）。船は長さ三〇メートル、幅一〇メートル以上で、一五～三五人の乗船が可能なサイズでもある。伽耶の人達が海に乗り出し、日本との関係が深かったことも判明している。

これを時間経過で表現すると上の図のようになる。

大洪水と推定される事象が、時間経過と海面上昇値で表現されたのは世界でも類を見ないものである。破線は一〇〇メートル程度を表している。

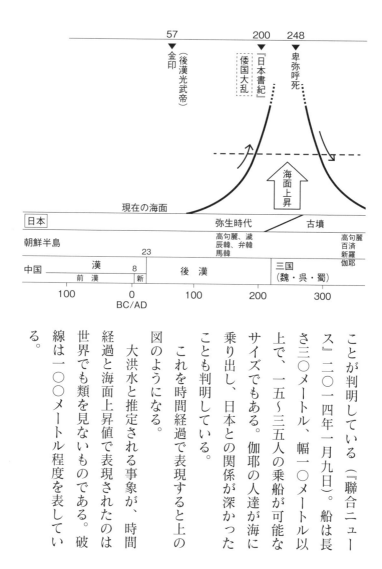

7　古代人が挑んだ天文観測

前章まで歴史上発生した大洪水と、それから護るべく人類の遺したいくつかの例（ピラミッド、ジッグラッドなど）を見てきた。

当然、津波や洪水から生き残るためには高い場所も造る必要があった。

それのみならず、古代の人間達は、この大災害が何時迫ってくるのかを知ることも重要であったに違いない。

巨大ピラミッドでも季節の太陽の方向を知るための工夫が為されていたことも述べた。人類にとって重要なのは天体の中でも太陽であっただろう。地球上で再現性のある観測が行えるのは太陽だけであった。

太陽を観測することで一年の暦が作られ、日々の暦を得ることができた。

このように太陽観測によって得る情報が極めて重要であった。太陽を神として崇めるというよりは、太陽により、季節を知り、日常をこれに基づいて活動する指標としていた。

古来、春分は一年の始まりとして農業にとっても重要な日であった。世界中で新年の祭りと祈りが行われてきた（日本でも新年度が四月にスタートする）。

ここでさらに推理を拡大させてみる。

南米、一五世紀のインカ帝国の遺跡で、アンデス山麓に属するペルーのウルバンバ谷に沿った山の尾根（標高二四三〇メートル）に建設された古代都市マチュピチュ。これまで何故、このような高地に都市が建設されたのかが謎とされてきた。近年の調査で一部の建物はやはり太陽方向で夏至・冬至が分かるように造られていたことが判明している。

インカ帝国は文字を持たなかったためこの遺跡がどのような目的で建設されたのかなどの記録はない。

調査によって、まさに日々の暦を知る工夫が為されていた。この地域は巨大なローマ帝国にも匹敵するような規模を持っていた。

　実は、この地域で天文観測をするためには、マチュピチュのような高い山上を選ばざるを得なかったと考えるのが合理的であろう。マチュピチュは高地であり、かつ両側が切り立った崖状になっているため、太陽観測に最も適していた。この遺跡には、夏至と冬至が正確に分かる窓があるなど、太陽を使った暦を観測、作成したとも言われている。夏至・冬至に太陽が東から昇る日の出を知ることが重要だったのであろう。

もちろん、高地であれば津波や洪水の被害も防ぐことができることも必要であった。ピラミッドも、ナイル川沿岸に広がる平地に存在し、地平線近くの太陽の日の出を観測できる地形である。

この南米ペルーのマチュピチュ地域で太陽の日の出を観測するにはマチュピチュのような高地を選ばざるを得なかった。

調査によれば、この都市と言っても住民は五〇〇人程度しか居住できない規模であった。

このように、大規模な巨大水害から生き残りを図れるのは極少数であったであろう（ノアの箱舟で語られているように）。この地域でも、一部であっても大災害から人間が生き残るため、困難も乗り越えて都市建設に励んだという、自然との壮絶な戦いであったに違いない。生命の危機に対する思いは、ピラミッドと同じであっただろう。

人類は生きていく上で必要な季節の変化を正確に知るために「太陽」を観測し、暦を作り、自然と共存することにより生き延びてきた。

実は、正確に暦を得るには再現する太陽の動きを観測するしか方法はなかったのである。

古代の人達が「太陽」に対する絶対的信頼を持ったのは、まさに「科学的」理由からである。いたずらに宗教や神を持ち出して信仰的理由付けを主とするように語るのは安易すぎるのではないだろうか。

古代の人達は現代の我々が想像しているよりも遥かに科学的かつ合理的な思考と経験に基づいて行動し、そのために必要となるものを創り出したに違いない。これは、過去の長い経験に基づいた裏付けを持っていたからこそできたのだろう。

8 「大洪水」で読み解ける世界の歴史

――東アジア

大洪水は、朝鮮半島や日本に留まらず、世界の陸地を襲った。

これまでこの観点から世界史を解明しようという試みは筆者が調べた範囲ではないようである。これまでに世界各地に洪水伝説やその痕跡が遺っていることは示してきた。このような物理的な「証拠」に加えて、世界の歴史に直接与えた影響についても本章で述べてみる。

もちろん世界各地に影響は及んだに違いないが、理解がしやすい東アジアについて調べる。

次ページ左図は『ツダの洪水（大洪水）』より以前と思われる二世紀中頃の東アジアの国々である。

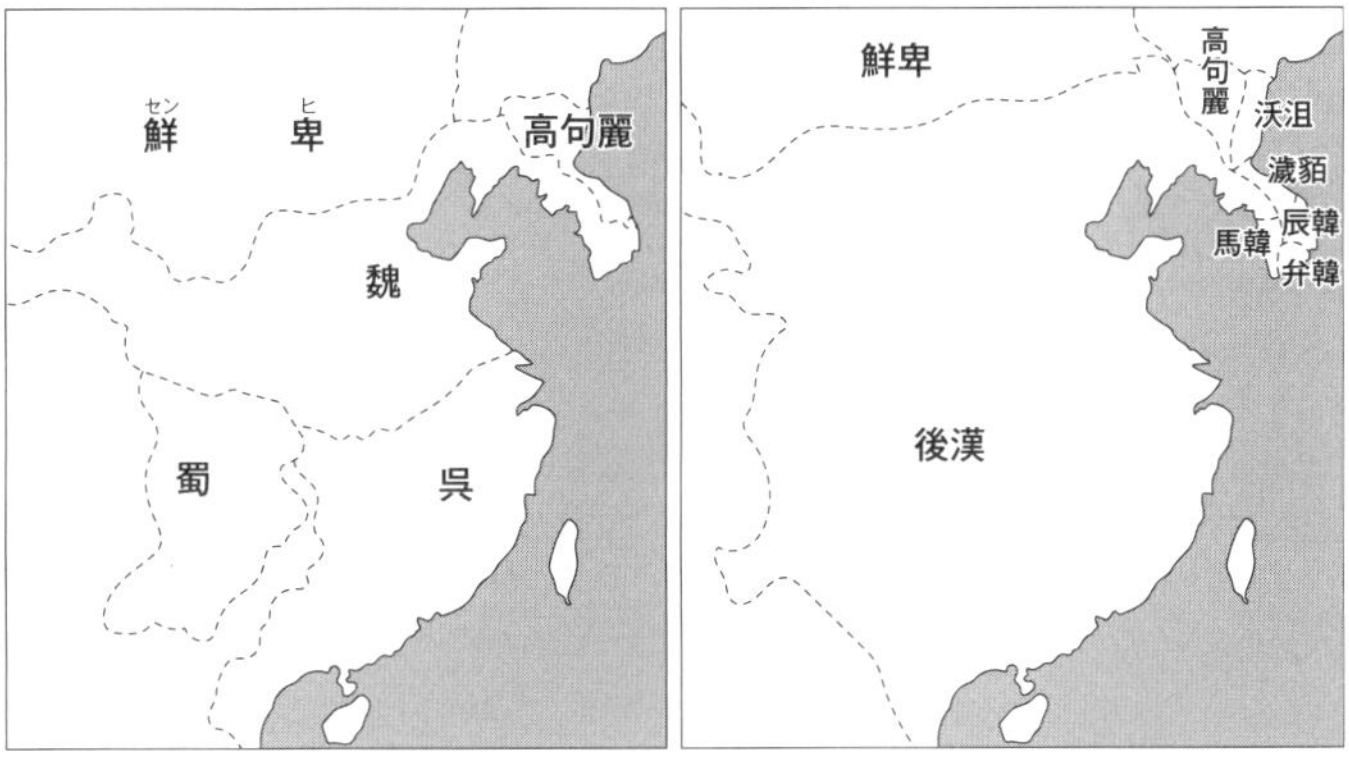

6章でこの大洪水の時間経過の推定について述べているが、大洪水の影響は、当時の海面上昇が深刻な状況になる二世紀後半である。

では、その後の様子はどうなったであろうか。上の左の地図に示されるように、三世紀前半は、中国大陸の中部から南部には、魏・呉・蜀の三国が起こり、状況は一変している。

それでは、もう少し詳細にこの頃の中国大陸の歴史を見てみよう。次ページの図は国の変遷を示したものである。

「新」は西暦八年〜二三年という短命な国家であった。しかし、後に述べるようにこの「新」時代に鋳造された「貨泉」と呼ばれる青銅貨幣が、実は日本の主だった遺跡で出土している（後述）。

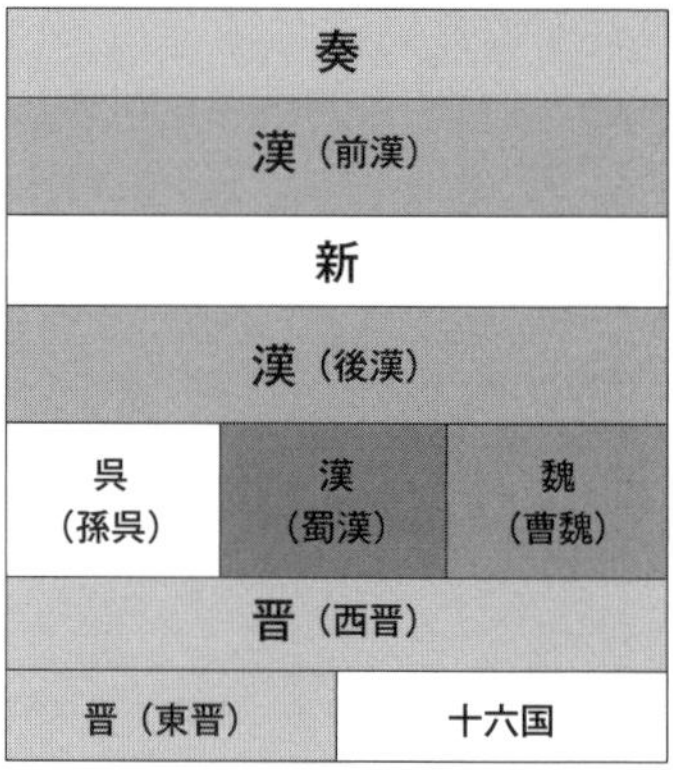

一方、この「新」とも一時期共存しているが後漢（二二～二二〇年）が支配している。陳寿による『三国志』と共に、『後漢書』でも日本人にはお馴染みである。

5章の『ツダの洪水』の時間経過からみて、後漢が滅びた二二〇年頃は海面上昇が最大に達していたと想定される時期である。

海面上昇がどのレベルまで到っていたのかは詳細は不明であるが、「一五〇メートル上昇」で調べてみよう。次ページの着色部分（地図下段の海面下をメートルで表現）が「水没地域」である。

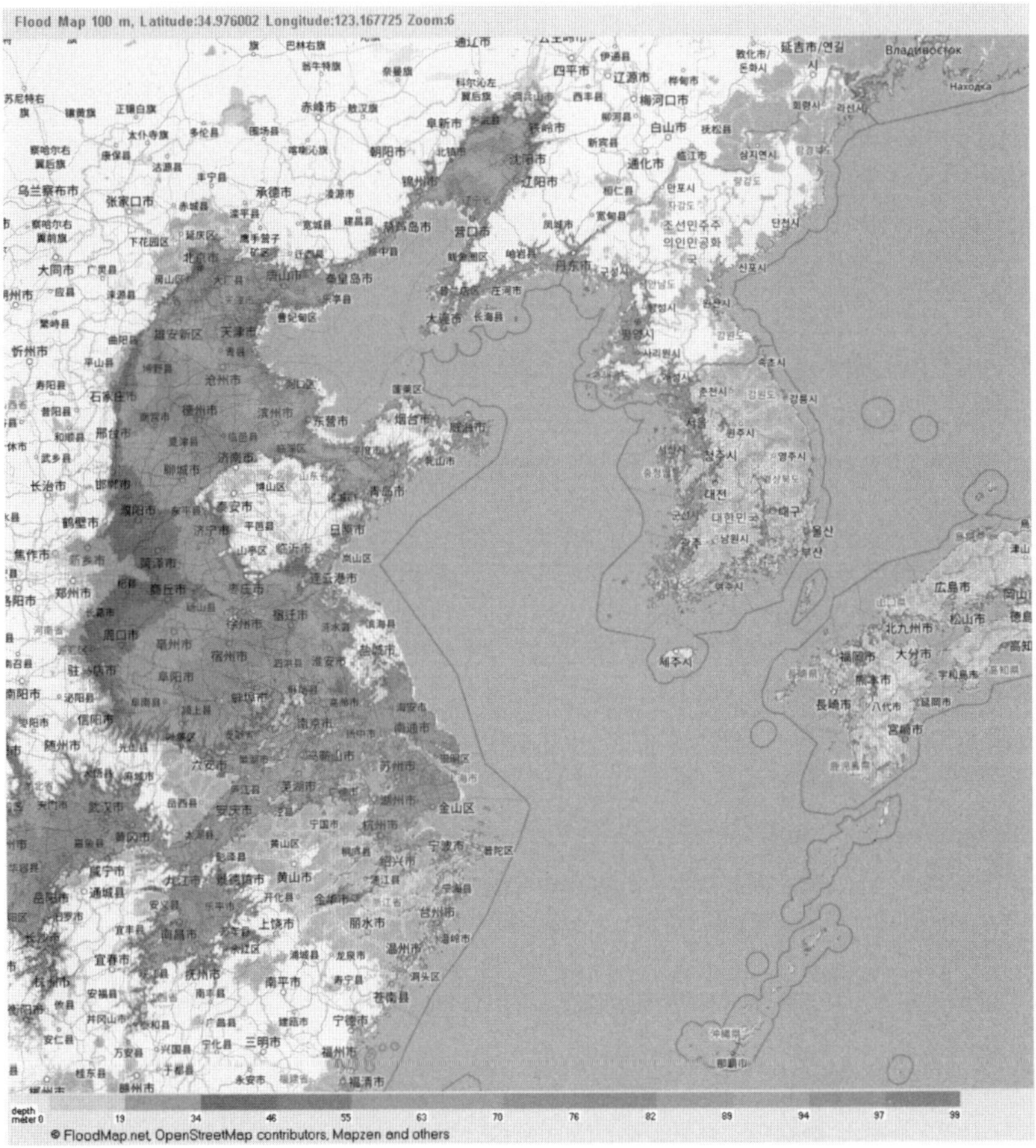

海面が150m上昇したケース（Flood Mapsにて筆者作成）
（カラー図が本書カバー裏面に掲載されている）

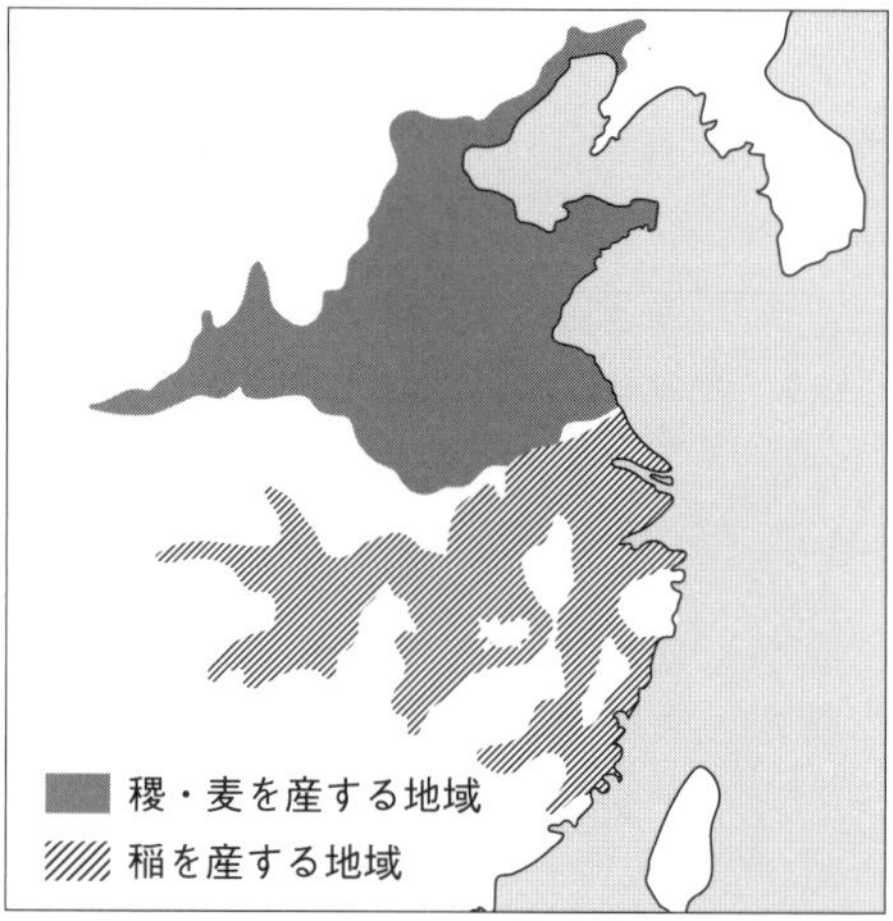

ここで古代中国の農産物の生産地域（上図）を見ると、まさに右の水没地域と一致する。これはある意味当然で、元々大河（黄河・揚子江）流域の低地帯で農業が営まれていたことからも自然なことでもある。

このことから、後漢は短期間のうちに農業生産を失ったために国が「消滅」したも同然になったと推測される。

では、その後は、三世紀前半に魏・呉・蜀が支配するようになった（三国時代）。

後漢末期の一八四年（中平元年）に中国においては黄巾の乱が起きた。太平道の信者が教祖の張角を指導者として起こした組織的な農民反乱である。黄州（▲）鉅鹿郡の張角は「太平清領書」に基づく道教的な悔過による治病を行ったが、大衆の信心を掌握し「太平道」を広めた。政治色を濃くしていった、太平道は、数十万の信徒を三

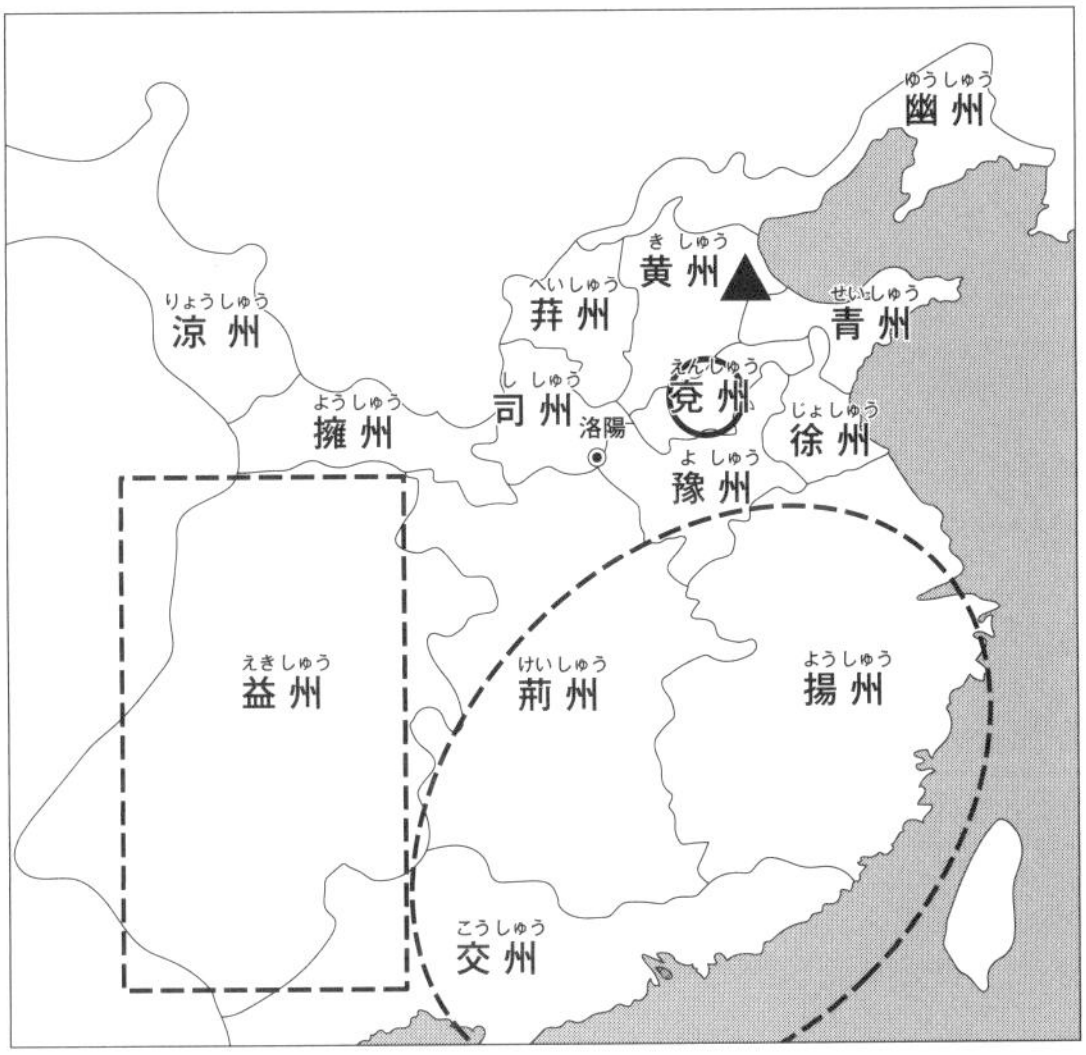

六個に分け、一単位を「方」とし軍事組織化していった、そして武装蜂起を計画した。張角の弟子の唐周が宦官達に密告したことで蜂起計画が発覚した。後に、指導者を失った黄巾軍は瓦解し、黄巾の乱は収束に向かうことになる。

治安の悪化に伴い、知識人を含む多くの民が難を避けて荊州・揚州・益州・交州など江南や四川の辺境地域に移住したことは、これらの地域の文化水準の向上と開発を促し、これらの地域が自立する素地をなしたことは三国時代の要因となった。

魏は曹操（前ページ○印）によったが、曹氏の王朝であることから曹魏《そうぎ》、あるいは北魏に対して前魏《ぜんぎ》ともいう（この場合は北魏を後魏と呼ぶ）。四五年間しか続かなかった王朝だが、成立の基礎を作った曹操の時期の政権である「曹操政権」とも論じられることも多い。魏・蜀・呉の戦国史を描いた三国志（『三国志』『三国志演義』など）で後世に伝わり、日本で魏は卑弥呼を記述した『魏志』「東夷伝倭人の条」（『魏志倭人伝』）で知られる。

呉は、魏に対して称臣していた孫権が二二二年に黄武と言う新しい元号を使い始め、魏からの独立を宣言した国である。長江以南の揚州・荊州・交州（破線楕円）に建てた王朝である。

蜀は劉備が巴蜀の地（益州、現在の四川省・湖北省一帯および雲南省の一部）（破線四角）に建てた国。

以上のように、穀倉地帯を失った後漢は消滅し、その周囲で割拠する者達によって、三国時代として支配されるようになった。

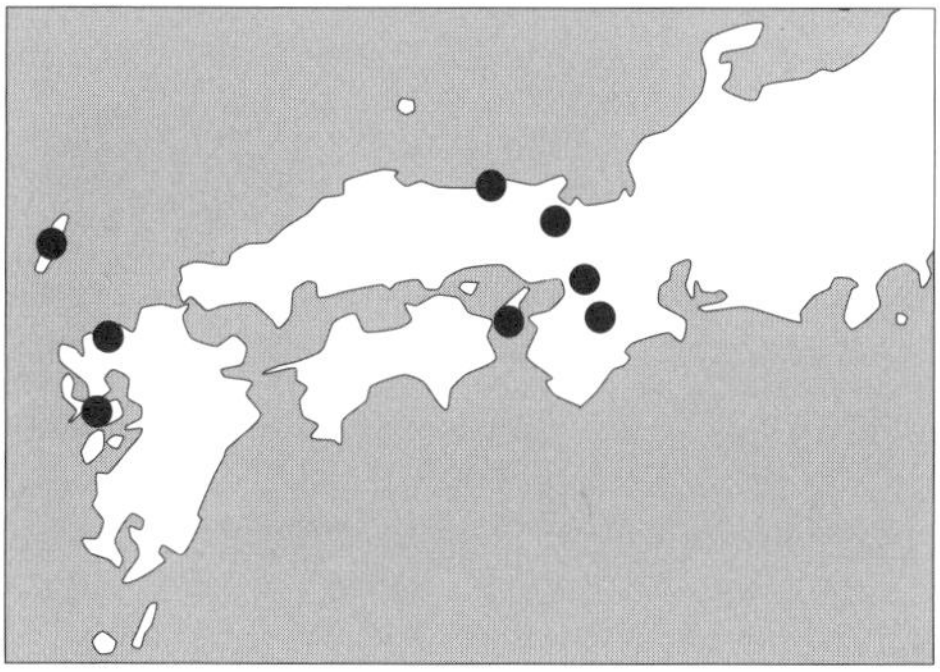

貨泉（『京丹後市の歴史』国立国会図書館デジタルコレクション）

さて前述した「新」の「貨泉」について述べておく。左上の地図は、筆者が確認した「貨泉」の日本国内における出土地である。右上は「貨泉」である。

出土した場所は非常に多く、大阪府以西の西日本を中心に二〇例以上の出土例が知られている。福岡県、長崎県、佐賀県から多く見つかって、南あわじ市、福知山市津之郷、大阪府貝塚市、奈良県田原本町、長崎県対馬市、福岡市などもある。

貨幣として用いられたものではなく、一説によると青銅器を作る際の材料として溶かして使われたのではないかとも言われている。

確かに、弥生時代に銅鐸など青銅器が多く出土し、国内でも制作されたことが、鋳型の出土などにより確認されている。当時の日本国内には、使用できる銅鉱床があったとは考え難いことからも材料説も頷ける。

青銅としての各金属の含有量や貨泉の一個当たりの重量が分かっていることからも材料としては使いやすかったかも知れない。

ここで「新」の貨幣「貨泉」が国内で多く出土するが、「新」という国は、西暦八年から二三年までしか存在していない。

新は、王莽により、儒教において理想とされる周代の政治へと復古すると称し、井田法を真似して全国の田地を全て国有にすることを決定した。また、貨幣を新たに改鋳するなどの政策を打ち出した。しかしこれらの政策は当時の現実を無視したものであったため、貨幣の度重なる改鋳は経済を混乱させ、地方に広い土地を所有する豪族達の利益を損ない、大きな反発を受けた。過度の中華思想から、匈奴や高句麗に渡していた王号を取り上げて、「降奴服于」「下句麗侯」などという称号を押し付けて彼らの怒りを買い、離反を招いた。後に、全国に反王莽の群雄が起こり、王莽は長安に乱入した群盗により殺された。劉秀（後の光武帝）の活躍により打ち破られた（昆陽の戦い）。この後の王莽は相次ぐ敗戦となり、王氏の一族も多くは滅ぼされた。光武帝は赤眉軍の帰り道を自ら塞いで戦わずしてこれを降伏させた。

　完全に群を抜いた勢力となった光武帝は二七年に梁の劉永、三〇年に舒の李憲と楽浪の王朝、三二年に琅邪の張歩といった群雄勢力を制圧し、三六年に蜀の地で「成家」を建国していた公孫述を滅ぼして全国を統一したのである。後漢の光武帝は、奴

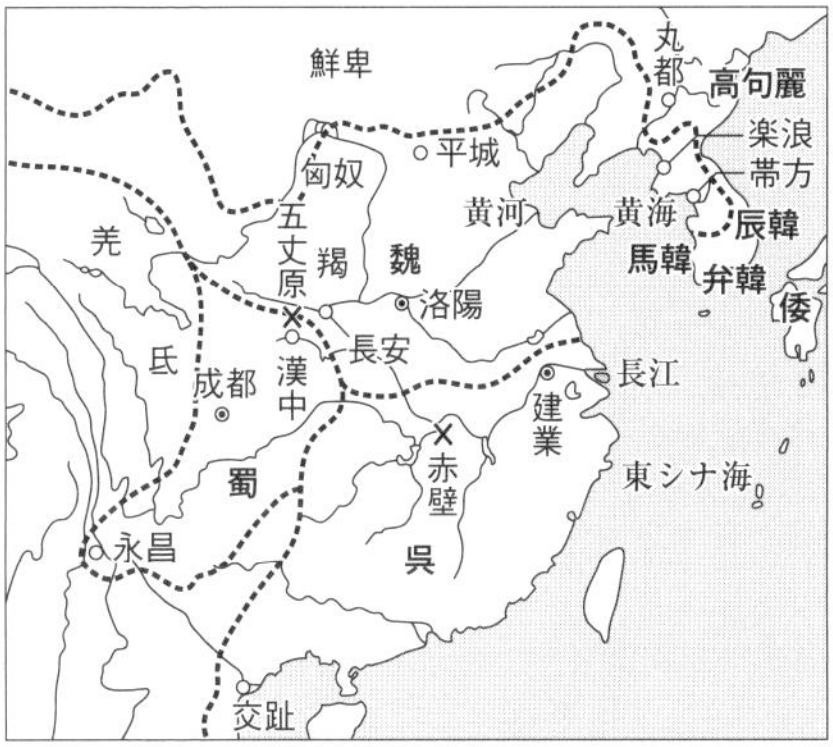

国への金印（漢委奴国王）でよく知られている。

　では、何故、このように西日本に「貨泉」が出土するのか。これには、当時の中国の大河下流域の状況を知る必要がある。上図は三国時代の呉の位置を示している。すでに示した西暦二〇〇年頃の海面上昇による水没で、穀倉地帯の多くが失われ（一部地域は『新』とも重なる）、新天地を求めた人達が東シナ海を航海して日本列島に大量に到来した可能性が大きい。

　渡来した人達の一部は瀬戸内海に到達し、安芸

（広島県）の呉市に上陸したと推定される。現在の呉市は、地形的に天然の良港であり、造船業が主要な産業である。古来、安芸は、東シナ海を渡る長途の航海と風波に耐える大型船を建造した。この造船の歴史は古く、『日本書紀』に「安芸国令造船」や「安芸国使造遣百済船二隻」とあり、『續日本記』には、遣唐使船を安芸国で造ったという記録が遺されている。

以上からも、外洋を航海し、水軍に秀でていた「呉」の人達が造船技術をもたらしたものである（『倭族と古代日本』）。

遣唐使船も、長途の航海と風波に耐えるだけの大型船でなければならない。角材の竜骨に多数の隔壁を配して骨格を作り、外板を張るという典型的なジャンク構造で両舷側の櫓で漕ぎ、後には竹網代帆を併用していた。上の写真は復元船

遣唐使船模型（神戸市立博物館蔵）

(神戸市立博物館)。

万葉集には安芸倉橋島(かつて長門之島と呼ばれていた)にも遣新羅使の歌八首が遺されている(『海道を往く』)。下に呉市倉橋島を示す。

以上のように、西暦二〇〇年頃の『ツダの洪水』の海面上昇によって、後漢が滅び、三国時代が到来し、水没のために多くの人達が東シナ海を越えて日本列島に到来し、造船技術などを伝えていた。

さて三国時代の呉とともによく知られているのが、「呉越同舟」で知られる「越《えつ》」である。

この「越」は、古音では、ワ行の【ヲ】で

ある。これは現在にも氏名として「越智《ヲチ》」がこれを伝えている。一方、「倭」も古音では【ヲ】であった。漢族は現在でも音が似ていると、自由に別の漢字を当てるという。したがって、「倭」＝「越」は類音異字になるという。

「越人」も「倭人」の一派であり、越人とは、杭州湾近くの紹興付近の倭族の子孫であるとされている（『倭族と古代日本』）。

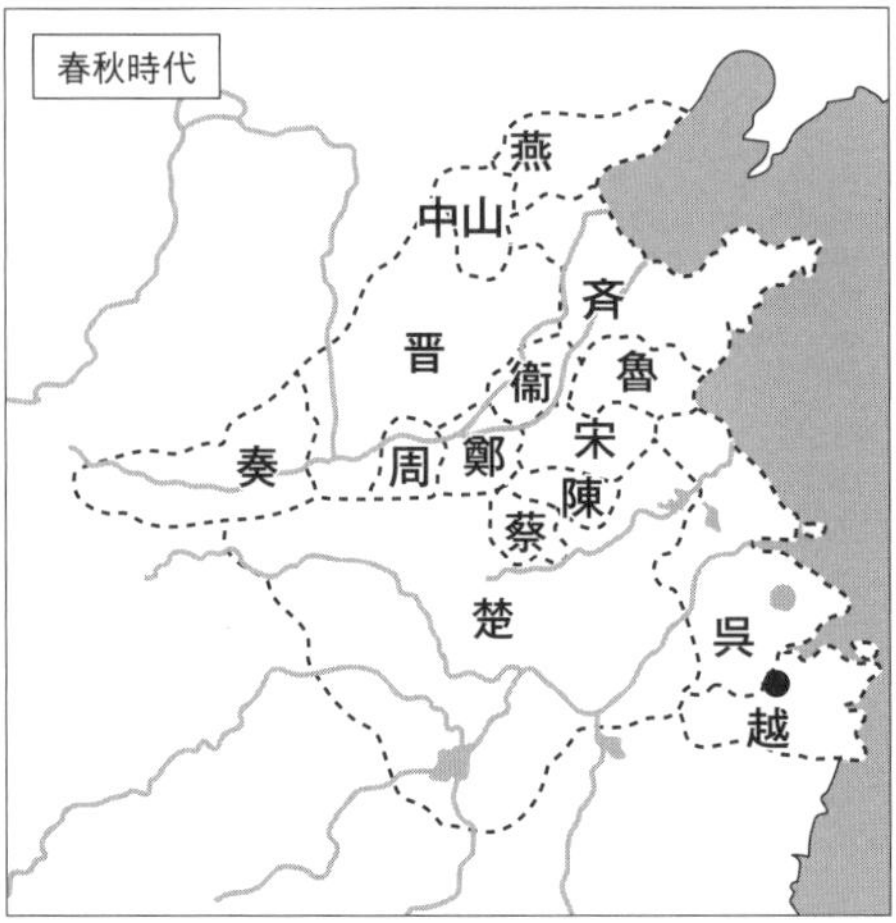

紹興付近を上の地図に黒丸で示す。

現在の日本でも「越」の字が遺る地名がある。

越前、越中、越後

などである。これら古代の国名として五畿七道の北陸道に当たる。

これらの国名に用いられている「越」は、すでに述べた中国三国時代の倭族の一派である「越人」の人々と推定される。これはこの地域だけに限定して渡来したという意味ではない。地理的に日本海に沿って北上したと推定される。

古代の呉越一帯には、断髪文身（髪を短く切り、刺青を入れる）の習性があった。当時、呉（浙江省・蘇州の辺り）と越（浙江省・紹興の辺り）といえば中国の南方で隣り合わせた国どうしですが、仲の悪さが有名でした。その頃の言葉として、臥薪《がしん》嘗胆《しょうたん》（毎夜薪の上に寝てその痛みで越への復讐をかきたてたという意）などが残っている。

この辺りでは、夏（中国の王朝で、越国は禹《う》（中国最古の王朝『夏』の始祖の末裔によって建てられた国とされている）の王の少康の子が、會稽に封ぜられた時、断髪して入墨をし、蛟《みずち》の害を避けたと伝えられている。

古代の倭人の日本を描いた『三国史記』の「東夷伝　倭人の条」、通称『魏志倭人伝』に、

「……倭水人好沉没捕魚蛤　文身亦以厭大魚水禽　後稍以為飾
諸国文身各異　或左或右　或大或小　尊卑有差……」

その意は以下の通りである。

【倭の水人は、沈没して魚蛤を捕るのを好み、入れ墨は大魚や水鳥を為であったが、後には次第に飾りとなった。諸国の入れ墨はそれぞれに異なって、左にあったり、右にあったり、大きかったり、小さかったり、身分によっても違いがある】

当時の倭人が海中に潜って魚や貝（右は『蛤』としているが、海中に沈没していることから蛤とは限らず、蚫《あわび》も含まれるであろう）を取るのを好み、刺青（文身）をして大魚・鳥の害を避けていたと述べられている。

『魏志倭人伝』は、三世紀前半とされているが、これ以前に当たるが興味ある出土品がある。

次ページ上の写真は鳥取県出土（青谷上寺地《あおやかみじち》遺跡）の蚫おこし（筆者撮影）である。

弥生時代中期頃であるので、紀元前であろう。

したがって『ツダの洪水』以前に使われて洪水時の砂に埋もれたものと想定される。

注意すべきは、『ツダの洪水』以前と以後ではこの付近の海岸線の地形や地勢に変化があったことも想定されるので、現在の海岸での漁労とは必ずしも一致しない。

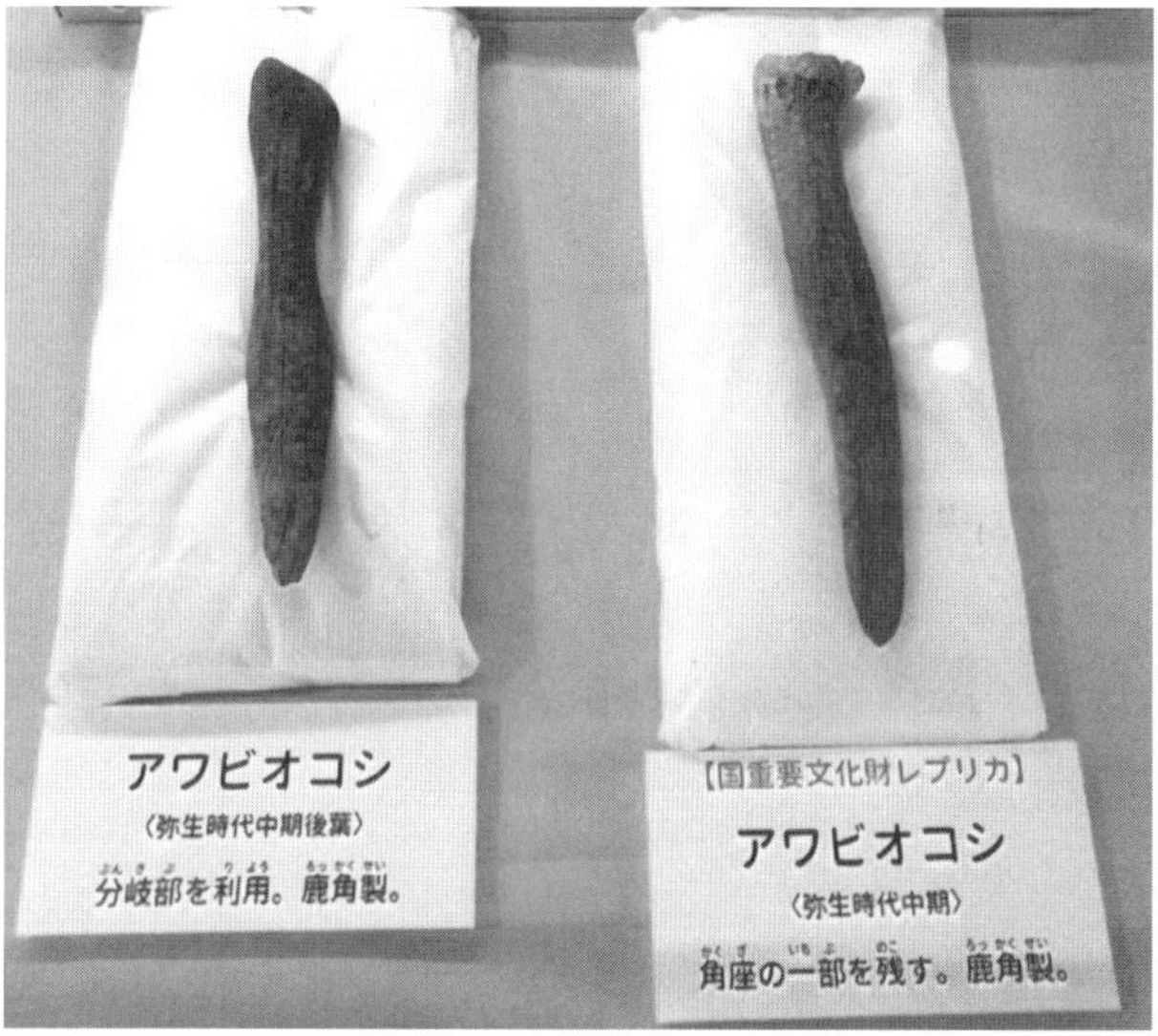

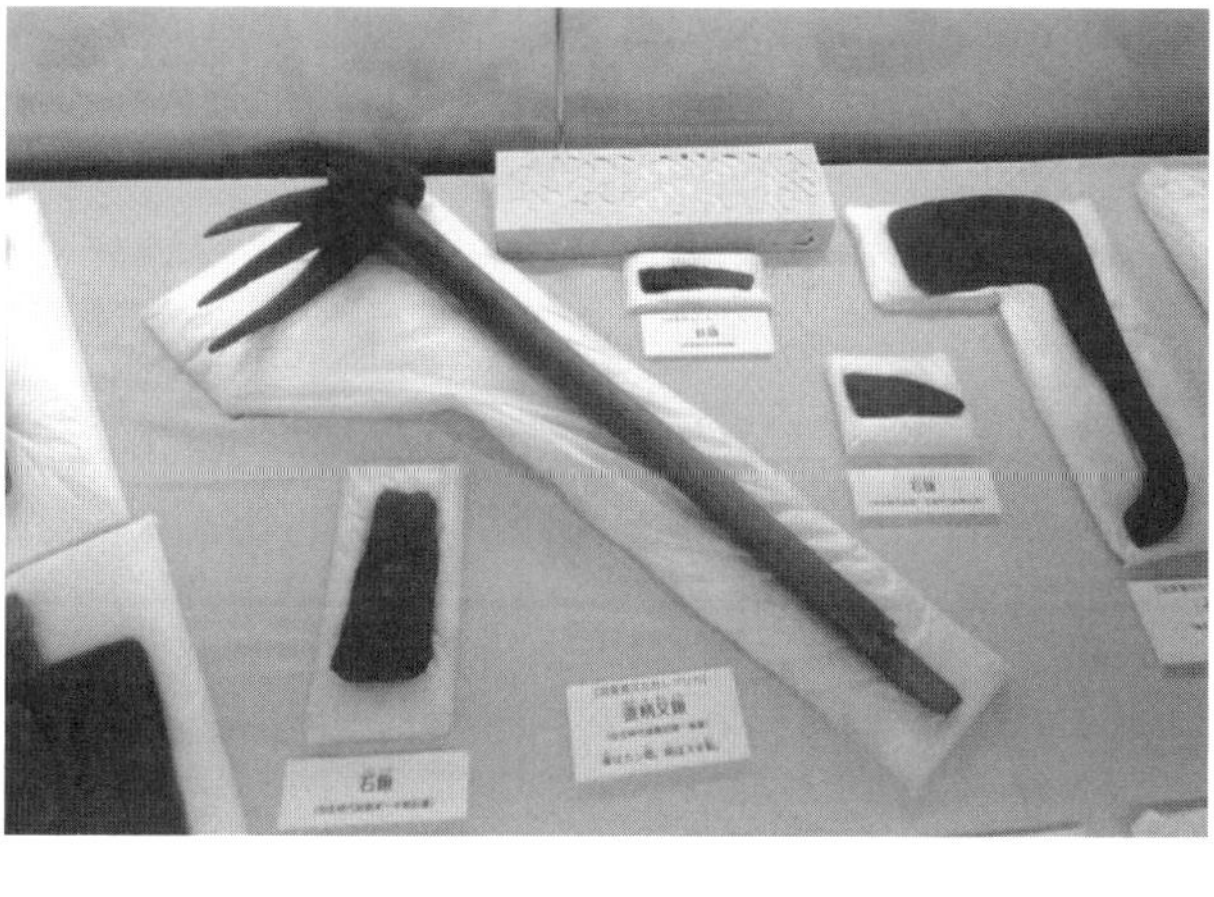

「越人」達は、「倭族」でもあり、紹興近くの河姆渡《かぼと》遺跡発掘遺構からは、水稲耕作をして高床式建物に住み、建材の腑《ほぞ》穴も石器で開け、農具は木製品のほか、哺乳動物の肩甲骨を用いた骨鏃・骨鋤で、家畜として犬、豚、水牛が見られ、母系社会であったことが報告されている（『倭族と古代日本』）。

日本海側の越後などは現代でも米どころとして知られることからも関連性が窺い知れる。

筆者が訪れた山陰地方の鳥取県青谷上寺地遺跡の出土品には、また、見事な木製農耕具などが展示されている。高度な木工技術で制作された木製品は保存状態が非常に良い。

前ページ下の写真は、青谷上寺地遺跡展示館の木製品展示物である（筆者写す）。同遺跡からは高床式建物跡が見つかっている。

筆者が最初にこの青谷上寺地遺跡について現地の遺跡展示館に電話で問い合わせた際に、「住居跡はまだ見つかっていません」との回答をいただいた。これは「越人」と同じく高床式建物に居住していたとすれば頷ける事実である。

実は、高床式建物の例は、三世紀末の「家屋紋鏡」（奈良県佐味田宝塚古墳）にも描かれている（左上の写真）。

家屋文鏡（宮内庁）模造
ColBase（https://colbase.nich.go.jp/）

また、同遺跡から出土した琴板には、犬や羊と思われる動物が描かれており、「越人」のように家畜としての動物が見られる。左が描かれた琴板の写真である。

同遺跡は非常に保存状態の良い出土物が見られることからも今後の研究に期待したい。また、同遺跡には複数の場所から水田遺構が見つかっている（前ページ下の写真）。

『青谷上寺地遺跡４』より
（財団法人鳥取県教育文化財団2002）

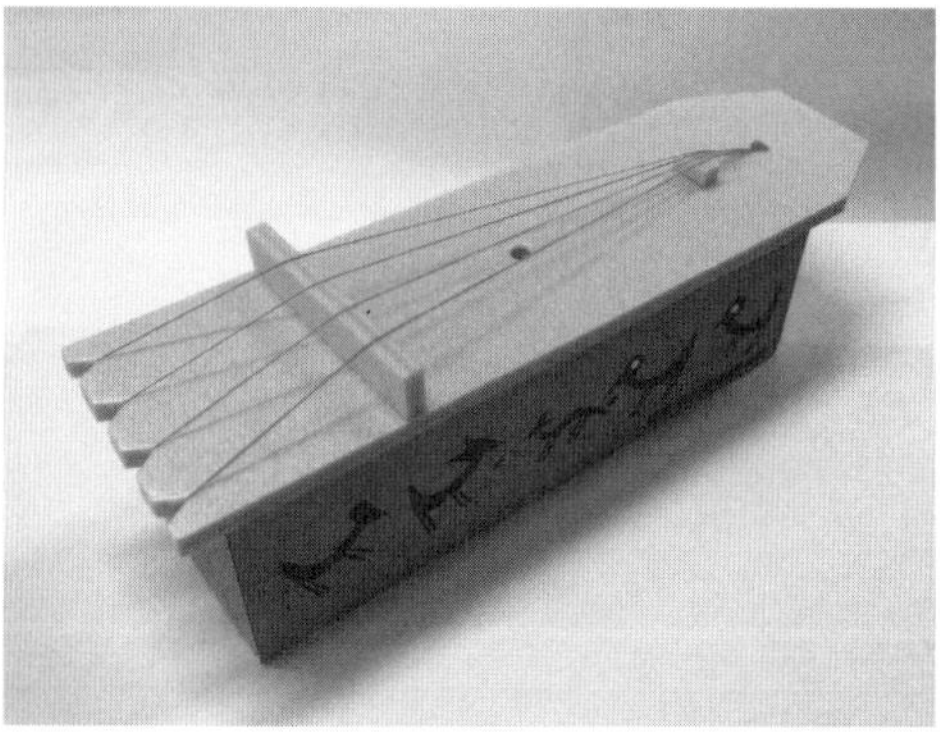

青谷上寺地琴をもとにしたペーパクラフト
（鳥取県とっとり弥生の王国推進課　提供）

もう一点、非常に重要な点を指摘しておきたい。

実は、この遺跡からは保存状態の良い人骨が五三〇〇点も出土している。「鳥取県鳥取市青谷上寺地遺跡出土弥生後期人骨のＤＮＡ分析」（国立歴史民俗博物館研究報告 第２１９集）から要約すると、結論として以下が得られる。

・遺骨サンプル（三二個体）から、ほとんどが弥生時代以降に日本列島にもたらされたものであり、縄文人のものは、一例のみであった

・合計で二九系統の母系が認められた（三二個体のうち、完全にＤＮＡ配列が一致するものが三組）

・男性と判断された五体について、渡来系弥生人と考えられるのは、一体のみで残り四体は縄文系と考えられる。

これは見事に母系社会であったことを示す結果であり、この点は紹介した「越人」の特徴と見事に一致している。日本社会は明治時代以前は母系社会ともいわれているが、これとも何か因果関係があるかも知れない。

また、同遺跡から出土した琴板には、犬や羊と思われる動物が描かれており、「越

人」のように家畜としての動物が見られる。

青谷上寺地遺跡は紀元前の弥生時代から古墳時代前期にわたる遺跡である。また出土品には既に紹介した中国の貨幣「貨泉」も出土していることから一世紀以降の中国本土の人達との関連も示されている。

水田耕作を伴う人達が中国を出発して朝鮮半島、日本にやって来ていたことが日本の国家形成に大きな役割を演じていた。


二世紀から四世紀頃の『ツダの洪水』では、揚子江下流に本拠地のあった「越人」達も海面の上昇により耕作地を失い、新たな生活基盤となる土地を求めて日本列島に到来したものと推定される。

これについては、『ツダの洪水』以前にすでに到来していた「越人」達と『ツダの洪水』後に到来してきた人達との重層的な構造を考慮しなければならないであろう。

青谷上寺地遺跡で発掘されている遺構・遺物・人骨・脳（頭蓋骨内）などは、『ツダの洪水』時に砂で覆われて無菌状態という保存の良い状態（通常の洪水砂礫とは異なる）で発見・発掘されたものと推定される。これは、人骨の年代学的調査で二世紀（弥生時代後期後半）の可能性が最も高いことが示されていることからも理解される（「鳥取県鳥取市青谷上寺地遺跡出土弥生中・後期人骨の年代学的調査」国立歴史民俗博物館研究報告　第２１９集）。

しかしその『ツダの洪水』後も青谷上寺地には続けて「越人」達は到来してきたものと推定される。「越人」達は、現在の地域名として残る北陸や新潟地域にも到来していたと推定される。これを示唆するようにこれらの地域に産出する材料（例えば北陸地方の緑色凝灰岩や碧玉など）も青谷上寺地遺跡で出土している（国立歴史民俗博物館研究報告 第２１９集）。

以上のように、「大洪水」は海面上昇を伴い、地球規模で、国々の盛衰・滅亡・消滅という事態を起こし、文明そのものも継続性や遺産を危機に晒し続けてきた。

三〇〇〇年に一度とは言え、古代からの世界の歴史を正確に読み解く上で無視できない非常に重要な要素であることを認識しなければならない。

9　過去からの教訓と将来の悲劇

以上、「ノアの洪水」に果敢に挑む仮説『灼熱の氷惑星』を著した高橋氏の見解をもとに、もう一度古代史を時間と地域を越えて俯瞰すると、

★三〇〇〇年周期に「巨大洪水」が発生していた可能性があることに気付いた（洪水伝説の周期と高橋説の惑星周期は相互に独立して考えられたものである）

これらについては、世界各地に「洪水伝説」として遺されている。相当な数（代表的には、ノア、アトランティス）の、

「天からの洪水」

という表現が用いられている。ノアの洪水に挑んだのが高橋氏であったが、「三〇

○○年周期の惑星」となれば天体力学からみれば、三〇〇〇年ごとに地球近傍に接近することになる。

それによる影響の程度は、周回ごとに異なるであろう、したがって「ノアの洪水」と同じような天変地異とそれに伴う災害が起きるという単なる繰り返しとしての「預言」が成り立つものではない。

しかし、クフ王やジッグラッド（バベルの塔）がもし、来たるべき「巨大洪水」に備えたものであるとすれば、

「現代の我々が如何に無防備」

であり、それどころか海面スレスレを目指して人々が集結し、大都市やそこに（我々が考える）文明や文化の象徴を富と時間をかけて造り上げていくのは何故なのだろうか。

すでに三〇〇〇年周期のうち、二〇〇〇年を使い果たし、残されたのは、あと一〇

〇〇年かも知れない。

もう一度、紀元後に築き上げたこの「現代文明」は万能だったのか？　問い直さねばならないだろう。

プラトンの遺した『対話篇』を読むうちに何やら現代と重なって見えてくるのは筆者だけであろうか。

まさに時代への「警鐘」ではないだろうか、欲望と堕落に突き進み、強大な軍事力を弄ぶ現代が迎える未来はどのようなものであろうか。

プラトンの物語に出てくる「神官」の遺した言葉を噛みしめておく必要があるだろう。

最後にこの言葉を再掲して本書を締めくくる。

- 書法（文字や記号で遺す方法）は災害（洪水）によって失われた
- 文明国家の指標となるすべての技術が失われた
- 洪水は天からやって来た

・災害の結果、もっぱら文字を知り教養のある人が大量に死んだ
・歴史に関する知識が失われた
そして再度神官は強調した――
・洪水は、海からではなく、天からやって来た
さらに、
・洪水により、社会の中でも、より文明化した階層を除去した

エピローグ

調べれば調べるほど大洪水の記録、痕跡が現れる。

三〇〇〇年という時間は、確かに一〇〇年程度の寿命しかない我々人間にとってはあまりに長い時間である。この間を記憶せよ、と言われても不可能な長さである。すべてを忘れ去るには十分な時間でもある。

この三〇〇〇年の間に人類が為したことが、次の三〇〇〇年に及ぶことがなければ、新たに何事もなかったかのような状態から出発できる。もちろん、現代の我々が見るような「不可思議な遺跡」としての「記憶」を「謎」として遺すことはある。

しかし、現代の「三〇〇〇年」に身を置くものの、これが終わる時には、「(時)間借り」していた我々は、「元通りに戻す」ことがルールである気がするのである。

この点について、現代の我々の「三〇〇〇年」の過程で、科学技術に身を置いた人間としていささか気になることがある。

それは「ゴミ問題」である。

自然に分解し、また後に容易に分解することができるものは一応除外して次の「三〇〇〇年」に託しても許されるであろう……。

ここで最後に、
①核のゴミ
②宇宙ゴミ（スペース・デブリ）
について言及しておきたいと思う。
①の核のゴミは、原子力として平和的に利用したあとに残されるもの、戦争において使用される原子爆弾から残されるものの二つが考えられる。
②の宇宙ゴミは、現在の「三〇〇〇年」に生きる人間達が、宇宙空間を利用した人工衛星の残骸、そのためにロケットを打ち上げた残骸、この二つが主に「宇宙のゴ

ミ」として地球の周りを飛び交う、まさに「スターダスト」である。
①の「核のゴミ」については、実は放射能の影響を考えると、残されるゴミは、ほぼ「三〇年の半減期」のものである。一〇〇年経てば、八分の一以下に、三〇〇年経てば五〇〇分の一に減じてしまうので、いつの時点で発生したかによるが、自然現象として素早く減衰してしまうので次の「三〇〇〇年」に与える影響は軽微、もしくはほぼ無視できるとしていいであろう。これは原子爆弾投下後約八〇年経過した広島や長崎の例からも納得されるところである。
さて、②である。実は「宇宙ゴミ」は厄介である。低軌道（ここでは地上高度五〇〇キロ以下程度）のゴミであれば、稀薄とは言え、大気が機能して順次軌道高度を下げてついには大気圏で燃焼落下してしまう。一方、この低軌道以上の軌道高度を持つゴミは、大気の影響が、高度が高くなるにつれ、小さくなってしまい、数千年レベルでは落下しない。

宇宙を漂うゴミは一〇センチ以上のものが約二〇〇〇〇個、それより小さいゴミも含めると一〇〇〇〇〇〇〇億個以上あると言われている。

さらにここ数年、打ち上げ競争のように企業・国家によって多数の衛星が連日のように打ち上げられている。

この宇宙ゴミの対策として何らかの回収ができるのでは……という人達もいるが、これはほぼ絶望的である。地上から回収装置を打ち上げれば、ロケットの残骸を生み、軌道上で回収装置が故障すれば立ちどころに「宇宙ゴミ」の仲間入りとなってしまうからである。

当面、今の「三〇〇〇年」の間に人間達が捨てた「宇宙ゴミ」の回収はほぼ不可能であり、絶望的である。

それが証拠に、宇宙ゴミの問題が論じられて以降ずいぶんの時間が経つが、宇宙ゴミの数が減る傾向は全くないし、増加の一途をたどっている。単に先送りしてきたに過ぎない。

次の「三〇〇〇年」を生きる子供達が見上げる、であろう夜空は、造られた大量の「スターダスト」が眩しく輝く夜空であることは間違いない。何のための「宇宙開発」であったのだろう？　人間は何を求めて宇宙に向かったのか？　人類史上初めて残す大きな汚点では……杞憂になればと願うばかりである。

最後になるが、実は『旧約聖書』の「創世記」には、神の怒りによって引き起こされるのは洪水だけではない、と記述されている。

その件《くだり》は、

「方舟に乗って生き延びたノア一家に神はこう約束した、もう二度と人間を洪水で滅ぼすことはしない」

しかしこれは水に関する約束であり、火については別のようである。

ノアの方舟（紀元前三〇〇〇年頃）からずいぶん時間が経過し、ソドムとゴモラという隣り合った二つの町が大いに栄えていたが、いつしか悪徳と頽廃の巣になり果てる。ソドミー（男色、獣姦）という言葉がソドムの町の名から派生している。聖書中の「悪徳」の意味するところであることは想像に難くない。神はこのありさまに怒り、（洪水ではなく）硫黄と火の雨を降らせて町を消滅させることにした。但しそれに先立って天使二体を遣わし、住人ロトの信仰心のあつさを確認した。天使はロト夫婦と

ジョン・マーティン『ソドムとゴモラの破壊』
（写真提供　ユニフォトプレス）

その娘達に、急いで町を去るように、決して振り返らぬように、と命じる。

一九世紀、イギリスの画家ジョン・マーティン（一七八九―一八五四年）が、『ソドムとゴモラ』でそのシーンを描いている。

これ以上の詳細は持ち得ていない。しかし、「硫黄と火の雨」とは穏やかではない。

おわりに

本書は、日本古代の成り立ちを追う中で世界に起きた様々な出来事が歴史上でどのようにして発生したかを追求する中で纏めたものである。

今回の調査検討の中で、世界的にも知られた洪水、「アトランティス伝説」と「ノアの洪水伝説」を時代が異なる記録として取り上げた（これらの他にも世界中に洪水に纏わる伝説・伝承が存在することは本書で述べた通りである）。

しかし、もう一つの発見として『日本書紀』（神功皇后）の中に、日本や朝鮮半島にも洪水に関する記録が遺されていることを明らかにした。

この『日本書紀』の該当記述には、

・洪水が朝鮮半島南部について、新羅王が為す術なく「天運尽きて国が海になるのか」

と諸人に告げたことが記録されている。

まさに国土が海に没したわけである。ちなみに「新羅」という国は、当初は文字を持たず、中国との国交も六世紀頃まで持っていなかったためか、この記録は遺されなかった（『ローマ文化王国—新羅』）。

大洪水伝説の中で、世界的伝承や聖書のように神が語るものは何故、人類にこれほど長期に亘って語り続けられたのだろうか。

人類は歴史を重ねる中でどれほどの賢明さを獲得してきたのだろうか。むしろ歴史に眼を閉じて、現代が先進的で最善な選択をしていると、おおきな誤解がある気がしてならないのは筆者だけであろうか。

もし本書の言うように、三〇〇〇年経てば文明も人も更地にリセットされるとすればいささかの救いもあるような皮肉な気がする。

では、我々は何かの教訓を次の三〇〇〇年に遺せるだろうか。

これに近い歴史上の教訓として、ギリシアに起こった「民主主義」が挙げられる。紀元前五〇八年に民主制が開始された。これも時が経って「衆愚政治（ポピュリズム〕」に陥り、教養のない貧民が政治を支配した。貧民が政治を支配した結果、失政を重ねていくとされた。「ローマ」では「共和制」が取られ、大ローマ帝国として発展した。現代を観察すれば、ギリシアの民主制の歴史から学ぶのは、人間の持つ本性は一〇〇〇年以上経っても変わらないのか？　ということである。

高橋氏の説は、三〇〇〇年周期の巨大惑星の到来によってノアの洪水が引き起こされたものとされ、あまりにもうまくこれまでの地球上の謎や歴史上の出来事を説明してくれる。

その意味では、この巨大惑星は三〇〇〇年ごとに地球近傍に現れて何らかの天変地異をもたらせてきた過去が一度ならずあったであろうと推測される。

巨大惑星の周回ごとに地球との接近時の物理的条件は異なることも想定される。これからも、地球に生じたであろう天変地異は「ノアの洪水」と全く同じであったとは必ずしも言えない。

例えば、地球に降り注いだであろう「水・氷・砂」の量も違っていたこともあり得るのである。この場合、海面上昇が数百メートル、いやもっと大きく一〇〇〇メートルを超えることもあったかも知れないのである（奈良県貝ヶ平山〈八二・二メートル〉山頂付近で二枚貝の化石が多く見つかる例もある。日本列島の主要な造山運動は一〇〇万年以上前であり、この貝ヶ平山も海底にあったと推定される）。

現代の我々が一〇〇〇メートルを超えるような高い山岳地に築かれた古代都市（マチュピチュのような）の存在を発見してきた。しかしこれまでの歴史研究の中ではこれらが、「どうしてこのような高地に都市を建設したのか？」という問いには未だ答えられていない。

一つの可能性として、古代の人々が山頂付近の都市建設を行った合理的理由として津波・洪水対策であったと考慮できる余地もあるのではないだろうか。すでに述べたように人類の最大の災害要因は多くの命を奪う「水（津波・洪水）」であったのだから。

なお巨大惑星による影響は、地球に降り注ぐ液状の砂・氷・水の塊が、地球との衝突により地球自体が振動、すなわち巨大地震を引き起こし、津波を発生させ洪水となる。これはしばしば地上に冠水し海面上昇を引き起こす。

天災は忘れた頃にやって来る。

現在までの二〇〇〇年ほどの道筋を振り返ると、人間は歴史を知り知識とすることはできた。

しかし歴史から教訓を学び取ることには相変わらず失敗したようだ。

人間と社会に、限りない「欲望と傲慢」が蔓延る限り、救いは三〇〇〇年ごとのリセットに頼るしかない。

最後に、これまで伝説としてしか取り扱われなかった「大洪水」の存在。

実は、これが本書の言うように存在したとすれば、「実に多くの古代の歴史上の謎が解明される」のである。

歴史の理解には、コペルニクス的転回を必要とすることもあるのではないだろうか。

謝辞

本稿は、別のテーマの検討の過程で持ち始めた問題意識からスタートした。比較的短期間で執筆することになったせいもあり、本書の完成には多くの方のご協力をいただいた。

特に、遺跡を発掘し報告書を出されている博物館や資料館の方達には有意義なご意見をいただいた。殊に、

- 大阪府大阪城歴史博物館
- 兵庫県南あわじ市滝川記念美術館玉青館
- 岡山県古代吉備文化財センター
- 奈良県磯城郡唐古・鍵ミュージアム
- 鳥取市青谷上寺地遺跡展示館

にお世話になったことを感謝いたします。

また今回の検討の中で、建築家としての専門的ご意見をいただいた六本甚雄氏にも感謝いたします。氏には、表紙のための原画を提供いただいた。

いつもながら拙著の原稿に目を通していただいた浜口喜弘氏にも厚くお礼を申し上げます。

原稿はJohnson夫妻（奈良市高畑町）にもお願いして、国外文化からの視点でコメントをいただいた。

本書は筆者が早く世に問いたいとの希望で出版社にも配慮をいただいたこと、併せて感謝いたします。

付　録

高橋氏は著述の中で、一九七二年頃から「地球の近傍を通った巨大な天体から地球に水が移された」という説を考え始めたとしている。

高橋氏は、次のように考えた。
★太陽系を中心とする惑星系の力学や銀河系の成因などからも、これがただ一回だけの事象（ノアの洪水）の生起であることがあり得ない
★巨大な天体から水が地球へ移動する条件は、極めて特殊な場合に限られているだろう
★しかし自然界の法則から考えると再現されるということが必須の条件である
★地球の長い、長い歴史を通じて何度も繰り返されてきたことである
そして、この未知の天体に、仮に惑星Mという記号名称を付けた。
高橋氏は最初、この惑星Mが地球・金星・火星などのように固体の天体と同じ構造

を持つと考えた。しかし、この仮定はほぼ失敗したモデルだと断定した。それは、水が地球にMから移るためには、惑星Mの半径の一〇％くらい外側で可能になるだけであった。高橋氏は、惑星Mと地球は「間接衝突」（直接衝突を避けながら水だけを移す）であるから、固体天体のわずかしかない間接衝突空間へ地球が何度も何度も直接衝突を避けながら入り込んでいると説明せざるを得なくなった。この間接衝突の確率を上げるためには、ニア・ミスの距離を大きくすると、今度は水が移される確率がなくなってしまった。

高橋氏は、この他に、

★地球の増水がすべて地球上の大陸氷から来たものとしても、氷から水へという過程は気温の上昇で得られるとしても、逆に大陸氷ができることを説明するのは困難である。二畳紀（二億年前頃）の地層に見られる氷河痕跡は全地球上にあり、赤道直下の位置でも氷ができたことを説明しなければならず、両方向の過程は説明が困難である

とも考えた。

さらに高橋氏の考えは以下に及んだ。

★地球上でできたと言えるのは、極冠と呼ぶ南北両極圏の氷だけである

★どうも氷は地球の気温とは関係なく登場した。もちろん後に気温差で溶け残りと溶けてしまったところが出た

★北シベリアで発見されたマンモスの冷凍体に食事直後の木の葉が未消化のまま残っていたし、発見された場所は、木の葉が生えている場所とは一〇〇〇マイルも離れていた

以上のことから、高橋氏は、巨大な量の水がマンモスを打倒して一挙に一〇〇〇マイルも運んだと考えた。これは、石炭炭田がどのようにしてできたかも説明することができた。巨大な量の水が、大森林を覆し、一か所に運んで北米のような巨大な炭田をも造ったのである。

次に、高橋氏はこの天体を人類が少なくとも近くで見たことがないだろう。すなわち、恐ろしく長い周期の惑星ではないかと仮定した。

高橋氏は、この惑星の周期を三〇〇〇年と仮定した上で、力学的な試行錯誤によって導き出した。その結果、この周期を見直さなければならない理由も見当たらなかった。

この前提で考えると、長楕円軌道の長半径は、三〇〇億㎞であるが、離心率が大きく（扁平な軌道形状）遠日点は、六〇〇億キロになる（一五〇〇万キロが地球と太陽間のおおよその距離）。冥王星より一〇倍近く遠くまで太陽を離れる。また太陽と地球間の距離のおおよそ四〇〇倍になる。

三〇〇〇年に一回太陽付近、すなわち地球などの惑星ファミリの付近に戻ってくる。この惑星軌道がほぼ地球の軌道と交差する位置にあると推定した。パロマ天文台の観測限界より外にいるとしても、過去一五〇〇年くらいこの惑星を見たらしい記録がないとすれば、すでに遠日点を過ぎて後半の地球に向かう旅路のように想像できる。遠日点では、見かけの明るさは二〇等星程度だと推定される。

高橋氏の解析より、詳細は省くが、惑星Mの構造は、核（コア）を持ち、その周りに膨大な量の水を持っている。おおよそ、全体の大きさは地球と同程度で、表面は厚い氷層に覆われているが、内部の深層水が高温であるために場所によって厚さは大いに変化する。

地球と同じ程度の大きさであるのは、地球に間接衝突する際に、惑星Ｍと地球で引力による引っ張り合いがあることを考えると想像が容易である。

以上のようにして、惑星Ｍは以下のように要約される。

（一）表面が氷層に覆われ、中心に核を持ち、
　　これらの間に巨大な水を持つ
（二）大きさは地球と同じ程度
（三）太陽系惑星で周期三〇〇〇年の長楕円軌道
（四）地球軌道と交差して間接衝突する

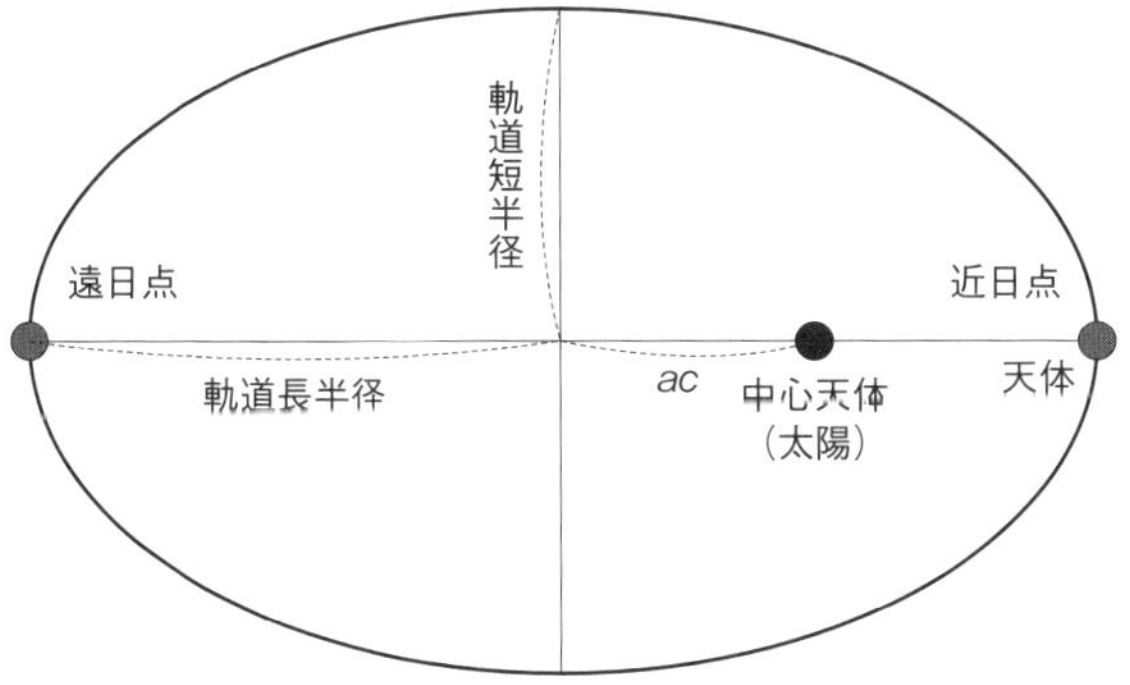

軌道の概要

参考文献

高橋実『灼熱の氷惑星―地球との接触でノア大洪水が再襲来』原書房　一九七五年
杉本智俊『図説　旧約聖書の考古学』河出書房新社　二〇二一年
ニュートン別冊『新・ビジュアル古代遺跡事典』ニュートンプレス　二〇二三年
庄子大亮『アトランティス・ミステリー』PHP新書　二〇〇九年
有光教一 他『古代の新羅と日本』學生社　一九九〇年
井上秀雄『古代朝鮮』NHKブックス　一九七二四年
『よみがえる久田の歴史』岡山県古代吉備文化財センター　平成一六年
石丸恵利子「貝塚・貝層の高所形成をめぐる生活集団の性格」
(季刊「古代文化」第74号2巻) 古代学協会
由水常雄『ローマ文化王国 - 新羅』新潮社　二〇〇一年
納野義夫「日本列島の地殻　日本海と大和堆」アーバンクボタNo.12
川幡穂高『気候変動と「日本人20万年史」』岩波書店　二〇二二年

高橋誠一「弥生時代の集落立地―大阪府域の高地と低地の間で―」
人文地理27－2　一九七五年
諏訪春雄『倭族と古代日本』雄山閣　一九九三年
河村盛明『海道を往く』静山社　一九九四年
篠田謙一他「国立歴史民俗博物館研究報告」第219集
国立歴史民俗博物館　二〇二〇年

著者プロフィール

津田 慎一（つだ しんいち）

1949年、徳島県生まれ
東京大学工学部航空宇宙学科・大学院博士課程修了
工学博士（ロケット工学）
大学院時代にロケットS-520（2018年ギネスブックに登録されたSS-520ロケットの一段目主ロケットに使われている）を設計
メーカーにて人工衛星、国際宇宙ステーションなどの設計開発、NASAとの共同宇宙ロボット実験プロジェクトマネージャー
東海大学工学部航空宇宙学科教授
現在、主に歴史を題材として執筆活動中
主な作品に『武蔵戦国記 後北条と扇谷上杉の戦い なぜ「ジンダイジ城」は捨てられたのか』（2019年）『白鳳仏ミステリー　武蔵国分寺と渡来人 「ジンダイジ城」とは何だったのか？』（2020年）『薬師如来像が語る飛鳥女帝王朝　聖徳太子と斑鳩宮の悲劇』（2021年　すべて文芸社刊）『飛鳥仏ミステリ　法隆寺金堂 消えた本尊の謎』（2021年　幻冬舎刊）
第二十二回　歴史浪漫文学賞（歴史文学振興会）最終選考通過作品「天平の栄華 ―光と陰―」

千年後に迫り来る大洪水 日本書紀に遺された巨大洪水と神功皇后

2023年12月15日　初版第１刷発行

著　者　津田 慎一
発行者　瓜谷 綱延
発行所　株式会社文芸社
〒160-0022　東京都新宿区新宿1－10－1
電話 03-5369-3060（代表）
03-5369-2299（販売）

印刷所　株式会社フクイン

ISBN978-4-286-24756-4